TIPOS DE PERSONALIDADE

BIBLIOTECA CULTRIX
DE PSICOLOGIA JUNGUIANA

Daryl Sharp

TIPOS DE PERSONALIDADE

O Modelo Tipológico de Carl G. Jung

Tradução
Yara Camillo

Versão final
Rubens Rusche

Editora Cultrix
SÃO PAULO

Título do original: *Personality Types – Jung's Model of Typology.*
Copyright © 1987 Daryl Sharp.
Copyright da edição brasileira © 1990, 2021 Editora Pensamento-Cultrix Ltda.
2ª edição 2021. / 2ª reimpressão 2025.

Todos os direitos reservados. Nenhuma parte desta obra pode ser reproduzida ou usada de qualquer forma ou por qualquer meio, eletrônico ou mecânico, inclusive fotocópias, gravações ou sistema de armazenamento em banco de dados, sem permissão por escrito, exceto nos casos de trechos curtos citados em resenhas críticas ou artigos de revistas.

A Editora Cultrix não se responsabiliza por eventuais mudanças ocorridas nos endereços convencionais ou eletrônicos citados neste livro.

Editor: Adilson Silva Ramachandra
Gerente editorial: Roseli de S. Ferraz
Gerente de produção editorial: Indiara Faria Kayo
Editoração eletrônica: Join Bureau
Revisão: Vivian Miwa Matsushita

Dados Internacionais de Catalogação na Publicação (CIP)
(Câmara Brasileira do Livro, SP, Brasil)

Sharp, Daryl
  Tipos de personalidade: o modelo tipológico de Carl G. Jung / Daryl Sharp; tradução Yara Camillo. – 2. ed. – São Paulo: Editora Pensamento Cultrix, 2021. – (Biblioteca Cultrix de psicologia junguiana)

Título original: Personality types: Jung's model of typology
ISBN 978-65-5736-114-6

1. Jung, Carl G. 1875-1961 2. Personalidade 3. Psicologia junguiana 4. Tipologia (Psicologia) I. Título II. Série.

21-70697 CDD-155.264

Índices para catálogo sistemático:
1. Tipologia de Jung: Psicologia 155.264
Maria Alice Ferreira – Bibliotecária – CRB-8/7964

Direitos de tradução para a língua portuguesa adquiridos com exclusividade pela EDITORA PENSAMENTO-CULTRIX LTDA., que se reserva a propriedade literária desta tradução.
Rua Dr. Mário Vicente, 368 — 04270-000 — São Paulo, SP – Fone: (11) 2066-9000
http://www.editoracultrix.com.br
E-mail: atendimento@editoracultrix.com.br
Foi feito o depósito legal.

A classificação não explica a
psique individual. Não obstante, a compreensão
dos tipos psicológicos abre caminho para uma
melhor compreensão da psicologia humana em geral.

– C. G. Jung

SUMÁRIO

PREFÁCIO 9

1. Introdução à Tipologia Junguiana 13
   O Modelo Básico 15
   Funções Racionais e Irracionais 21
   A Função Dominante e as Funções Auxiliares ... 24
   A Função Inferior 28
   Os Dois Tipos de Atitude 35
   O Papel do Inconsciente 44
   Advertência ao Leitor 48

2. A Extroversão e as Quatro Funções 53
   A Atitude Extrovertida 53
   O Tipo Extrovertido Reflexivo 64
   O Tipo Extrovertido Sentimental 72

O Tipo Extrovertido Sensitivo 79
O Tipo Extrovertido Intuitivo 85

3. A Introversão e as Quatro Funções 95
A Atitude Introvertida 95
O Tipo Introvertido Reflexivo 102
O Tipo Introvertido Sentimental 110
O Tipo Introvertido Sensitivo 116
O Tipo Introvertido Intuitivo 123

4. Observações Finais 131
Por que Tipologia? 131
Teste Tipológico 136
A Tipologia e a Sombra 139

Apêndice 1: A Significação Clínica da Extroversão e da Introversão, pelo Dr. H. K. Fierz 149

Apêndice 2: Um Banquete com os Tipos 165

PREFÁCIO

Este livro não é uma crítica ou uma apologia do modelo dos tipos psicológicos elaborado por C. G. Jung, mas, antes, uma explanação. A intenção, aqui, não é simplificar o modelo, e sim esclarecer sua complexidade e algumas de suas implicações práticas.

O modelo tipológico de Jung não é um sistema de análise das personalidades, nem um meio de rotular a si mesmo ou aos outros. Da mesma forma que uma pessoa deve usar uma bússola para determinar o lugar onde se encontra no mundo físico, a tipologia de Jung é um instrumento para a orientação psicológica. Trata-se de um meio de compreender tanto a si mesmo como as dificuldades de relacionamento entre as pessoas.

Pode ser que outros livros tenham sido escritos com base no sistema dos tipos psicológicos de Jung. Se há alguma coisa de diferente neste, refere-se à rigorosa fidelidade aos pontos de vista expressados por Jung.

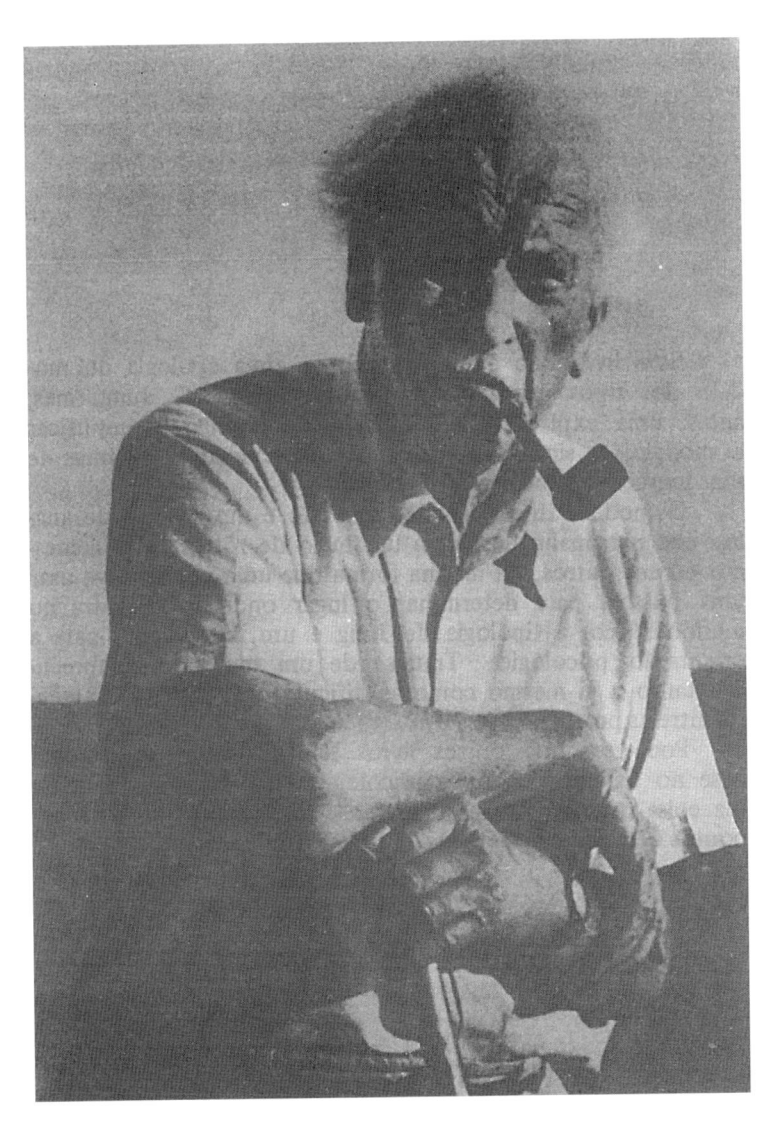

Jung em 1959, com 84 anos.

Capítulo 1

INTRODUÇÃO À TIPOLOGIA JUNGUIANA

O fato de nem todas as pessoas agirem do mesmo modo tem sido o ponto de partida para numerosos sistemas de tipologia. Há muito que se vem tentando classificar as atitudes individuais e os padrões de comportamento, a fim de explicar as diferenças entre as pessoas.

O mais antigo sistema de tipologia conhecido é o que nos foi legado pelos astrólogos orientais, que classificaram a personalidade humana sob a forma de quatro triângulos, correspondentes aos quatro elementos: Água, Ar, Terra e Fogo. O triângulo do Ar, por exemplo, é composto dos três signos "aéreos" do Zodíaco: Aquário, Gêmeos e Libra; o triângulo do Fogo é formado por Áries, Leão e Sagitário. De acordo com esse antigo ponto de vista, as pessoas nascidas sob esses signos são, em sua essência, influenciadas pela natureza do Fogo e do Ar, e possuem um temperamento e um destino correspondentes. O mesmo se dá com os signos regidos pela Água e pela Terra. Esse sistema ainda sobrevive, com algumas alterações na Astrologia atual.

Outro sistema estreitamente relacionado com esse remoto esquema cosmológico é o da tipologia fisiológica da antiga medicina grega, segundo a qual os indivíduos eram classificados como fleumáticos, sanguíneos, coléricos ou melancólicos, com base nas denominações das secreções do corpo humano (fleugma, sangue, bílis amarela e bílis negra). Esse tipo de classificação ainda é usado na linguagem corrente, embora há muito tenha sido abolido dos conceitos medicinais.

O modelo junguiano de tipologia nasceu de uma ampla revisão histórica, de um estudo detalhado dos tipos abordados pela Literatura, pela Mitologia, pela Estética, pela Filosofia e pela Psicopatologia. No prefácio da obra *Tipos Psicológicos*, que descreve suas profundas pesquisas e fornece um minucioso resumo de suas conclusões, Jung afirma:

> Este livro é o fruto de aproximadamente vinte anos de trabalho no campo da psicologia prática. Ele surgiu gradativamente no meu pensamento, formando-se através das inumeráveis impressões e experiências de um psiquiatra no tratamento de doenças nervosas, da relação com homens e mulheres de todos os níveis sociais, da

minha forma pessoal de lidar com amigos e inimigos e, por fim, de uma crítica acerca das minhas próprias características psicológicas.[1]

O MODELO BÁSICO

Enquanto as antigas classificações foram feitas com base na observação de padrões de comportamento temperamental ou emocional, o modelo de Jung diz respeito ao movimento da energia psíquica e ao modo como cada indivíduo se orienta no mundo, habitual ou preferencialmente.

A partir desse ponto de vista, Jung discrimina oito grupos tipológicos: *Duas atitudes da personalidade* – introversão e extroversão – e *quatro funções ou formas de orientação* – pensamento, sensação, intuição e sentimento –, cada qual operando de modo introvertido ou extrovertido.

As oito variações resultantes serão consideradas nos últimos capítulos, com descrições detalhadas sobre como cada uma delas ocorre, de acordo com uma atitude extrovertida ou introvertida. O que se segue aqui é uma breve explanação a respeito dos termos usados por Jung. Embora introversão e extroversão sejam termos conhecidos, seus significados são frequentemente

---

[1] *Psychological Types*, CW 6, p. xi [CW refere-se, sempre que citado, a *Collected Works of C. G. Jung*, a edição das Obras Completas (Bollingen Series XX), 20 vols., traduzidas por R. F. C. Hull e organizadas por H. Read, M. Fordham, G. Adler, W. McGuire; Princeton: Princeton University Press, 1953-1979].

incompreendidos; as quatro funções não são muito conhecidas e tampouco compreendidas.

A introversão e a extroversão são formas psicológicas de adaptação. No primeiro caso, o movimento da energia psíquica é direcionado para o mundo interior; no segundo, a atenção é dirigida para o mundo exterior. Num caso, o sujeito (a realidade interior) e, no outro, o objeto (as coisas e as outras pessoas – a realidade exterior) são de vital importância.

A *introversão*, descreve Jung, "costuma ser caracterizada por uma natureza vacilante, meditativa, reservada, que espontaneamente se mantém isolada dos outros, recua diante dos objetos e está sempre um pouco na defensiva".[2]

A *extroversão*, pelo contrário, "costuma ser caracterizada por uma natureza saliente, franca e obsequiosa, que se adapta com facilidade às situações propostas, estabelece rapidamente ligações e, pondo de lado qualquer tipo de apreensão, arrisca-se, com despreocupada confiança, a situações desconhecidas".[3]

Na atitude extrovertida, os fatores externos são a força motivadora predominante no que toca a julgamentos, percepções, sentimentos, afeto e ações. Esse tipo de atitude contrasta nitidamente com a natureza psicológica da introversão, em que os fatores internos ou subjetivos constituem a motivação principal.

---

[2] *Two Essays on Analytical Psychology* (Dois Ensaios sobre Psicologia Analítica), CW 7, par. 62.

[3] *Idem.*

Os extrovertidos gostam de viajar, de encontrar novas pessoas, de conhecer novos lugares. São os típicos aventureiros, adeptos da vida social intensa, da qual participam, de maneira aberta e amigável. Os introvertidos são essencialmente conservadores, preferindo o ambiente familiar do lar e horas a fio com alguns amigos íntimos. Para o extrovertido, o introvertido é pachorrento, um desmancha-prazeres, maçante e negativo. O introvertido, ao contrário, que tende a ser mais autossuficiente do que o extrovertido, deve considerá-lo um tipo excêntrico, um fanfarrão superficial.

De fato, as atitudes introvertidas e extrovertidas *per se*, ou seja, isoladamente, não são suficientes para determinar o tipo psicológico de um indivíduo. Para tanto, torna-se necessário associar essas atitudes a uma das quatro funções, cada uma das quais apresentando sua área específica.

A função do *pensamento* refere-se ao processo de pensamento cognitivo; a *sensação* é a percepção por meio dos órgãos dos sentidos; o *sentimento* é a função do julgamento ou da avaliação subjetivos e a *intuição* refere-se à percepção por meio do inconsciente (por exemplo, receptividade ao conteúdo do inconsciente).

O modelo básico de Jung, que abrange a relação entre as quatro funções, é uma quaternidade, como demonstra o diagrama da página 18. O pensamento encontra-se aqui arbitrariamente colocado no topo; qualquer uma das outras funções poderia figurar ali, de acordo com a preferência de cada pessoa. Contudo, a posição relativa das outras funções – uma simetricamente abaixo e duas no eixo horizontal – será determinada pela que figurar no alto do diagrama. A razão disso, incluindo a natureza específica das funções, será explicada logo a seguir.

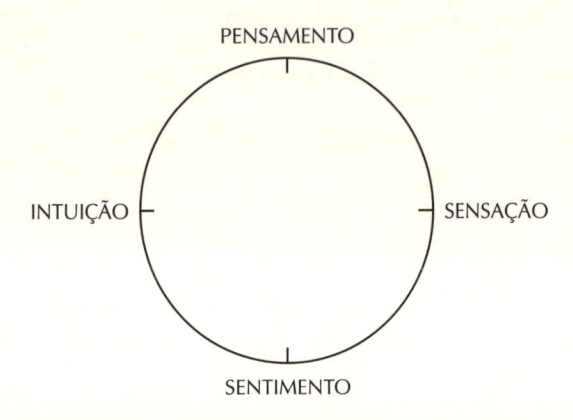

```
              PENSAMENTO

INTUIÇÃO                      SENSAÇÃO

              SENTIMENTO
```

Em síntese, a função da sensação nos assegura de que algo existe; a do pensamento nos diz do que se trata; o sentimento nos fornece o seu valor e, por meio da intuição, temos um palpite do que podemos fazer com isso (as possibilidades). Qualquer função, isoladamente, não é suficiente para determinar o nosso autoconhecimento, ou então, o conhecimento do mundo ao nosso redor; todas elas, escreve Jung, são necessárias para um abrangente conhecimento.

Para que haja uma perfeita orientação, as quatro funções devem contribuir igualmente: o pensamento deve facilitar a cognição e o julgamento; o sentimento deve nos dizer como e em que grau uma coisa é ou não importante para nós; a sensação deve nos transmitir a realidade concreta através da visão, da audição, do paladar etc.; e a intuição deve capacitar-nos a pressentir as possibilidades ocultas, que se encontram em segundo plano, já que estas também fazem parte do quadro completo de uma determinada situação.[4]

É óbvio que o ideal é ter acesso consciente à função ou às funções exigidas ou apropriadas para cada circunstância; mas, na prática, as quatro funções não estão sujeitas – de maneira proporcional – ao controle consciente do indivíduo, ou seja, não estão uniformemente desenvolvidas ou diferenciadas em cada um. Invariavelmente, uma ou outra é mais desenvolvida – a chamada função dominante ou superior –, enquanto as demais são caracterizadas pelo termo "inferior", ou seja, relativamente indiferenciadas.

Os termos "superior" e "inferior", nesse contexto, não implicam um julgamento de valor. Nenhuma função é melhor ou pior que as outras. A função superior é simplesmente aquela que uma pessoa usa com mais frequência; do mesmo modo, a função inferior não se refere a um estado doentio, mas apenas àquela

---

[4] *Psychological Types*, CW 6, par. 900. Jung tinha conhecimento de que as quatro funções orientadoras não são tudo o que a psique consciente contém. A força de vontade e a memória, por exemplo, não estão incluídas. A razão disso é que essas funções não constituem determinantes tipológicos – embora, sem dúvida, possam ser afetadas pelo modo como um indivíduo age tipologicamente.

função não utilizada pelo indivíduo (ou pelo menos utilizada em menor grau, se comparada com a função preferida).

O que acontece com as funções que não são conscientemente manifestadas no dia a dia e que, portanto, não são desenvolvidas?

Elas permanecem num estado mais ou menos primitivo e infantil, muitas vezes apenas semiconsciente, ou ainda totalmente inconsciente. As funções relativamente não desenvolvidas constituem uma inferioridade peculiar, que é uma característica de cada tipo e parte integrante de sua personalidade. A ênfase dada à função do pensamento será sempre acompanhada pela inferiorização da função do sentimento, e a diferenciação da função da sensação será prejudicial à da intuição, e vice-versa.[5]

Do ponto de vista tipológico, a maioria das pessoas se comporta de modo totalmente desconexo. Elas agem de maneira introvertida ou extrovertida, dependendo do seu humor, do tempo ou do estado de espírito em que se encontram; elas pensam, sentem, percebem e intuem mais ou menos ao acaso – não sendo melhor ou pior numa função do que noutra –, sem suspeitar das consequências.

Assim, à primeira vista, essas pessoas podem parecer bem equilibradas. Contudo, as características acima descritas são

---

[5] *Ibidem*, par. 955.

típicas da inconsciência, pois a consciência implica certa diferenciação na maneira como cada indivíduo age. "O estado uniformemente consciente das funções", observa Jung, "é indício de uma mentalidade primitiva."[6]

FUNÇÕES RACIONAIS E IRRACIONAIS

Jung classificou duas das quatro funções como *racionais* e duas como *irracionais*. (Ele também usou os termos *julgamento* e *percepção*, respectivamente.)

Como função de discriminação lógica, o pensamento é racional (de julgamento). Também o é o sentimento, que, como forma de avaliar aquilo de que gostamos e aquilo de que não gostamos, pode ser ao mesmo tempo discriminatório e reflexivo. O pensamento e o sentimento são chamados funções racionais porque ambos se baseiam num processo reflexivo e linear que se aglutina num julgamento particular.

Sensação e intuição foram denominadas por Jung como funções irracionais (de percepção). Cada uma delas é um modo de perceber simplesmente o que é. A sensação vê o que está no mundo exterior; a intuição vê (ou poderíamos dizer "capta") o que está no mundo interior.

O termo "irracional", aplicado às funções da sensação e da intuição, não significa ilógico ou sem razão, mas, antes, além ou

---

[6] *Ibidem*, par. 667.

exterior à razão. A percepção física de alguma coisa não depende da lógica – as coisas apenas são. De modo análogo, a intuição existe por si só; acha-se na mente independente da razão ou do processo racional do pensamento. Jung comenta:

> Seria absolutamente incorreto considerá-los [os tipos irracionais] sem razão apenas porque subordinam o julgamento à percepção. Seria mais verdadeiro dizer que se encontram no mais alto grau de *empirismo*, pois baseiam-se exclusivamente na experiência – e de modo tão exclusivo que, via de regra, seus julgamentos não conseguem acompanhar o passo de suas experiências.[7]

É particularmente importante distinguir o sentimento enquanto função psicológica dos muitos outros usos comuns da palavra. Jung admitiu como possível essa confusão: dizemos que nos sentimos felizes, tristes, zangados, magoados, e assim por diante; temos a sensação de que o tempo vai mudar, ou de que o mercado de valores estará em baixa; a seda parece mais suave do que a estopa, alguma coisa não parece bem etc. Nós claramente usamos a palavra sentimento de maneira licenciosa, uma vez que, num contexto particular, ela pode se referir à percepção, aos pensamentos, à intuição ou a uma reação emocional.

---

[7] *Ibidem*, par. 371.

Eis a importância de definir claramente nossa terminologia. Podemos medir a temperatura de acordo com a graduação Fahrenheit, de Celsius ou de Réaumur; a distância, em milhas ou quilômetros; o peso, em onças, gramas ou libras; o volume, em xícaras ou litros – desde que indiquemos o tipo de sistema usado. No modelo de Jung, o termo sentimento refere-se, de maneira estrita, ao modo pelo qual avaliamos subjetivamente quanto algo ou alguém significa para nós. É nesse sentido que ele é racional; de fato, à medida que o sentimento não é afetado pela emoção, ou seja, não é influenciado por um complexo ativado, ele pode ser totalmente desinteressado.

De fato, a função do sentimento como modo de orientação psicológica não deve ser confundida com a emoção. Esta, mais propriamente denominada "afeto", é, de forma invariável, a consequência de um complexo ativo. "O sentimento se distingue do afeto", escreve Jung, "pelo fato de não produzir enervações físicas perceptíveis, ou seja, nem mais nem menos do que um processo comum de pensamento."[8]

O afeto tende a contaminar ou a distorcer cada uma das funções: não podemos pensar com clareza quando estamos irados; a felicidade altera o modo pelo qual percebemos as coisas e as pessoas; quando estamos desnorteados, não podemos avaliar com precisão o que algo pode significar para nós; as possibilidades se esgotam quando nos encontramos deprimidos.

---

[8] *Ibidem*, par. 725.

A FUNÇÃO DOMINANTE E AS FUNÇÕES AUXILIARES

Como foi mencionado acima, uma das quatro funções é invariavelmente mais desenvolvida que as outras. Trata-se da função dominante ou superior, a qual usamos de maneira automática porque vem de forma mais natural e certamente nos traz recompensas. Jung escreve:

> A experiência demonstra que, devido às circunstâncias adversas em geral, é praticamente impossível para qualquer pessoa desenvolver de maneira simultânea todas as suas funções psicológicas. As exigências da sociedade compelem o homem a adaptar-se antes de qualquer coisa à diferenciação da função com a qual a natureza melhor o equipou, ou que lhe assegurará mais sucesso na sociedade. Muito frequentemente, aliás, o homem se identifica quase que por inteiro com a função preferida e, portanto, com a mais desenvolvida. É isso que dá origem aos vários tipos psicológicos. Em consequência desse desenvolvimento unilateral, uma ou mais funções são inevitavelmente retardadas.[9]

O termo "retardadas", no caso, refere-se a funções simplesmente negligenciadas ou pouco desenvolvidas. Com efeito,

---
[9] *Ibidem*, par. 763.

apenas em casos extremos, as outras funções – que não a dominante – são completamente inexistentes; e costuma haver uma segunda função (às vezes até mesmo uma terceira) suficientemente notável para exercer uma influência codeterminada na consciência.

Uma pessoa pode, é claro, ter consciência do teor ou dos efeitos associados a cada uma dessas quatro funções. Por exemplo: posso saber o que estou pensando, mesmo que a função do pensamento não seja, no meu caso, a dominante; também posso reconhecer a diferença entre uma mesa e uma garrafa, ainda que a minha função de sensação não seja a superior. Mas apenas podemos falar de "consciência" de uma função, segundo Jung, "quando seu uso é controlado pela vontade e, ao mesmo tempo, seu princípio dominante é algo decisivo para a orientação da consciência":

> Do ponto de vista empírico, essa supremacia absoluta sempre pertence a uma única função, e *só pode* pertencer a uma porque uma intervenção igualmente independente de outra função causaria sem dúvida uma orientação diferente que, ao menos em parte, contradiria a primeira. Mas como se trata de uma condição vital para que o processo consciente de adaptação sempre tenha objetivos claros e não ambíguos, a presença de uma segunda função de igual poder é naturalmente rejeitada. Essa outra função,

portanto, pode ter uma importância apenas secundária [...] Que se deve ao fato de essa função não ser, como a dominante, um fator absolutamente confiável e decisivo; portanto, a segunda função entrará em jogo mais como uma função auxiliar ou complementar.[10]

Na prática, a função auxiliar é sempre aquela cuja natureza, racional ou irracional, difere da função dominante. Por exemplo: o sentimento não poderá ser a função secundária quando o pensamento for dominante, e vice-versa, pois ambos são funções racionais ou de julgamento:

> Se o pensamento for de fato verdadeiro e real por seu próprio princípio, deve excluir rigorosamente o sentimento. Isto, é claro, não anula o fato de que há indivíduos cujos pensamento e sentimento estão no mesmo nível, ambos sendo de igual força motriz para a consciência. Contudo, também não se trata aqui de um tipo diferenciado, mas apenas da manifestação de um pensamento e de um sentimento relativamente não desenvolvidos.[11]

---

[10] *Ibidem*, par. 667.

[11] *Idem*.

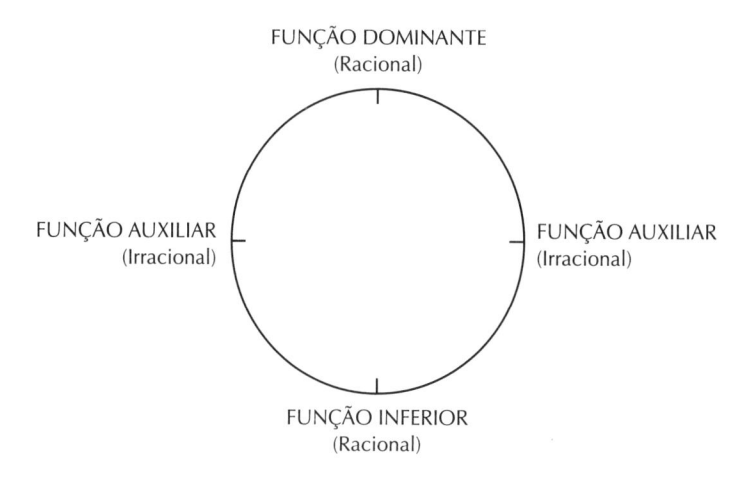

```
        FUNÇÃO DOMINANTE
           (Racional)
              |
   _____|_____
  /                       \
FUNÇÃO AUXILIAR    FUNÇÃO AUXILIAR
  (Irracional)       (Irracional)
  _____ _____/
              |
         FUNÇÃO INFERIOR
           (Racional)
```

A função secundária é, portanto, sempre aquela cuja natureza difere, embora não de maneira antagônica, da função dominante: cada uma das funções irracionais pode ser auxiliar para cada uma das funções racionais, e vice-versa.

De modo análogo, quando a sensação é a função dominante, a intuição não pode ser a função auxiliar, e vice-versa. Isso porque a atuação verdadeira da sensação exige que ela se concentre nas percepções sensoriais do mundo exterior, o que não é simultaneamente compatível com a intuição, que "percebe" o que está acontecendo no mundo interior.

Portanto, pensamento e intuição podem de imediato formar um par, como o podem o pensamento e a sensação, visto que as naturezas da intuição e da sensação não são fundamentalmente opostas à função do pensamento. De fato, como veremos mais adiante nas descrições detalhadas dos tipos, tanto a intuição como a sensação, sendo ambas funções irracionais de percepção, poderão ser muito úteis para os julgamentos racionais da função do pensamento.

Também é verdade que, na prática, a sensação é amparada pela função auxiliar do pensamento ou do sentimento; que o sentimento é auxiliado pela sensação ou pela intuição; e a intuição, pelo sentimento ou pelo pensamento.

As combinações resultantes apresentam um quadro familiar: por exemplo, o pensamento prático associado à sensação; o pensamento especulativo levado adiante por meio da intuição; a intuição artística selecionando e apresentando suas imagens com a ajuda dos valores sentimentais; a intuição filosófica sistematizando sua visão, através de um pensamento abrangente, por meio de um poderoso intelecto, e assim por diante.[12]

A FUNÇÃO INFERIOR

Como já foi mencionado, as funções não dominantes, ou seja, as menos preferidas, são relativamente inferiores.

Em todos os casos, há uma função que resiste particularmente à integração dentro da consciência: é a chamada função

---

[12] *Ibidem*, par. 669.

inferior ou, algumas vezes, "a quarta função", para distingui-la das outras funções inferiores.

"A essência da função inferior", escreve Jung, "é a autonomia: ela é independente; ela ataca, fascina e nos rouba o controle; dá-nos a impressão de que já não somos donos de nós mesmos, de que já não podemos mais distinguir corretamente nossa pessoa da dos outros."[13]

Marie-Louise von Franz, colega muito próxima e colaboradora de Jung durante muitos anos, ressalta que um dos grandes problemas da função inferior é ser geralmente lenta, ao contrário da função dominante.

> [Eis por que] as pessoas detestam lidar com a função inferior; a reação da função superior manifesta-se rapidamente e de maneira bem adaptada, enquanto muitas pessoas sequer fazem ideia de onde sua função inferior se localiza de fato. Por exemplo: os tipos reflexivos não sabem se possuem sentimentos ou que espécie de sentimentos eles têm. Sentam-se por meia hora e meditam, ponderam quanto a ter sentimento por algo ou por alguém... E se de fato têm, quais são? Se você pergunta a um tipo reflexivo o que ele sente, este geralmente ou replicará com um pensamento ou manifestará uma rápida reação convencional.

---

[13] *Two Essays*, par. 85.

E se você insistir na pergunta, ele não saberá o que dizer [...] Forçá-lo a dar uma resposta pode levar mais de meia hora. E para um tipo intuitivo preencher um formulário, por exemplo, seria necessário uma semana, quando outras pessoas levariam um dia [...][14]

No modelo de Jung, como está demonstrado no diagrama da página 27, a função inferior – ou quarta função – possui invariavelmente a mesma natureza da função dominante: quando a função racional do pensamento é a mais desenvolvida, então, a outra função racional, a do sentimento, será inferior; se a sensação é dominante, então a intuição, a outra função irracional, será a quarta função, e assim por diante.

De acordo com a experiência geral, o pensador costuma ser traído por valores do sentimento; o tipo praticamente sensitivo cai facilmente na rotina, cego quanto às possibilidades. "vistas" pela intuição; o tipo sentimental é surdo às conclusões apresentadas pelo pensamento lógico, e o intuitivo, sintonizado com seu mundo interior, mete-se em apuros ao lidar com a realidade concreta.

A pessoa não se deixa absorver completamente por essas percepções ou julgamentos associados à função inferior. Os tipos reflexivos, por exemplo, podem conhecer seus sentimentos – na

---

[14] *Lectures on Jung's Typology* (Zurique: Spring Publications, 1971), p. 8.

medida em que são capazes de se voltar à introspecção[15] –, mas não lhes dão muito valor. Eles negarão a validade dos sentimentos e até mesmo alegarão que não sofrem influência por parte destes. De modo análogo, os tipos sensitivos, unilateralmente orientados pelas percepções sensoriais físicas, poderão ter intuições, mas mesmo que as reconheçam, não serão motivados por elas. Da mesma maneira, os tipos sentimentais expulsarão os pensamentos perturbadores, e os intuitivos simplesmente ignorarão o que estiver bem diante dos seus olhos.

> Não obstante a função inferior seja consciente como um fenômeno, sua verdadeira importância continua inadmitida. A função inferior traz em si conteúdos muito reprimidos ou insuficientemente apreciados, que são em parte conscientes e em parte inconscientes [...] Assim, em casos normais, a função inferior permanece consciente, ao menos em seus efeitos – mas, numa neurose, ela mergulha, em parte ou totalmente, na inconsciência.[16]

---

[15] A diferença entre introversão e introspecção está no fato de a primeira referir-se à direção rumo à qual a energia se move, enquanto a última se refere a uma auto-observação. Embora a capacidade de introspecção – que Jung chama de "autocomunhão" (veja adiante, p. 55 e 102) – pareça prevalecer entre os introvertidos, nem a atitude introvertida nem a função do pensamento possuem um monopólio sobre a introspecção.

[16] *Psychological Types*, CW 6, par. 764.

À medida que uma pessoa atua de modo demasiadamente unilateral, a função inferior vai se tornando primitiva e problemática, tanto para a própria pessoa como para os outros. ("A vida não tem complacência", diz Von Franz, "para com a inferioridade da função inferior.")[17] A energia psíquica exigida pela função dominante rouba a energia da função inferior, que acaba por cair no inconsciente, o que a torna propensa a ser ativada de um modo artificial, provocando, assim, fantasias infantis e uma variedade de distúrbios da personalidade.

É isso o que geralmente acontece na chamada "crise da meia-idade", quando aspectos da personalidade durante muito tempo negligenciados finalmente exigem um reconhecimento. Nessas ocasiões, é comum que um indivíduo projete a causa de seus "distúrbios" sobre as outras pessoas. No entanto, só um período de autorreflexão e análise das fantasias poderá restaurar o equilíbrio e promover futuros e possíveis desenvolvimentos. Mas, como Von Franz ressalta, uma crise dessa espécie poderá se transformar numa preciosa oportunidade:

> No âmbito da função inferior, existe uma grande concentração de vida. Se, no momento em que a função superior estiver desgastada – podemos dizer que começa a fazer barulho e perder óleo como um carro velho –,

---

[17] *Jung's Typology*, p. 12.

as pessoas conseguirem se voltar para a função inferior, elas redescobrirão um novo potencial de vida. Tudo no campo da função inferior tornar-se-á emocionante, dramático, pleno de possibilidades positivas e negativas. Ali existe uma tensão extraordinária, e é como se o mundo, por assim dizer, fosse redescoberto através da função inferior.[18]

– porém, não sem certo desconforto, pois o processo de assimilar a função inferior, "elevando-a" a um nível consciente, será inevitavelmente acompanhado por uma "inferiorização" da função dominante ou superior.

Por exemplo: o tipo reflexivo que se concentra na função do sentimento tem dificuldade para escrever ensaios, é incapaz de pensar de maneira lógica; o tipo sensitivo, ativamente envolvido com a intuição, perde chaves, se esquece de compromissos, deixa o fogo aceso noite adentro; o tipo intuitivo torna-se fascinado pelo som, pela cor, pela textura e ignora as possibilidades; o tipo sentimental refugia-se nos livros, absorvendo-se nas ideias, em detrimento de uma vida social. Em cada caso, é necessário encontrar um meio-termo.

Cada função, ao atuar de maneira inferior, possui características típicas, algumas das quais serão discutidas mais adiante. Mas aqui já temos o suficiente para notar que a hipersensibilidade e

---

[18] *Ibidem*, p. 11.

as fortes reações emocionais – desde a paixão até a raiva cega – são um sinal incontestável de que a função inferior, juntamente com um ou mais complexos, foi ativada. Isso, sem dúvida, dá origem a uma infinidade de problemas de relacionamento. Na terapia, quando se torna necessário ou desejável desenvolver a função inferior, só é possível fazê-lo de maneira gradual, passando antes pelas funções auxiliares. Jung comenta:

> Tenho observado, com frequência como um analista, frente a um tipo excepcionalmente reflexivo, por exemplo, fará o possível para revelar-lhe a função do sentimento, trazendo-a diretamente para fora do inconsciente. Esse esforço está fadado ao fracasso, pois implica uma violação extrema do ponto de vista consciente. Ainda que essa violação produzisse efeito, o analista geraria uma dependência compulsiva no paciente, uma transferência que só poderia resultar num desfecho brutal. Pois, tendo sido privado do seu ponto de vista, o paciente assumiria para si o ponto de vista do analista [...]. Para abrandar o impacto causado pelo inconsciente, um tipo irracional precisa de um maior desenvolvimento da função racional auxiliar, presente na consciência [e vice-versa].[19]

---

[19] *Psychological Types*, CW 6, part. 670.

OS DOIS TIPOS DE ATITUDE

Segundo Jung, sua motivação inicial para pesquisar a tipologia foi a necessidade de entender por que a visão de Freud acerca da neurose era tão diferente da de Adler.

Freud considerava seus pacientes pessoas altamente dependentes dos objetos significativos – particularmente os pais – e definindo-se em relação a eles. A ênfase de Adler estava em como uma pessoa ou sujeito busca sua própria segurança e supremacia. Um supunha que o comportamento humano é condicionado pelo objeto; o outro, que o agente determinante desse comportamento é o sujeito. Jung expressava admiração por ambos esses pontos de vista:

> A teoria freudiana é tão encantadoramente simples, que quase se ressente ante qualquer afirmativa em contrário. O mesmo se dá com a teoria de Adler, cuja simplicidade esclarecedora explica tanto quanto a teoria de Freud [...] Mas como aconteceu isso de cada pesquisador ver apenas um lado, e por que cada um deles sustenta que o seu é o único ponto de vista válido? [...] Ambos estão evidentemente trabalhando com o mesmo assunto, mas, em razão das características pessoais, cada um deles vê as coisas de um ângulo diferente.[20]

---

[20] *Two Essays*, CW 7, pars. 56s.

Jung concluiu que essas "características pessoais" deviam-se às diferenças tipológicas: o método de Freud era predominantemente extrovertido, ao passo que o de Adler era introvertido.[21] Esses tipos de atitude fundamentalmente opostos são encontrados em ambos os sexos e em todos os níveis sociais. Essas atitudes não são uma questão de escolha consciente, ou de herança, ou de educação. Sua ocorrência é um fenômeno geral, cuja distribuição é feita aparentemente ao acaso.

Duas crianças da mesma família podem ser de tipos opostos. "Afinal", escreve Jung, "é sobretudo a disposição individual que decide se [um indivíduo] pertencerá a este ou àquele tipo."[22] E de fato ele acreditava que a antítese entre os tipos devia-se a alguma causa inconsciente, instintiva, para a qual provavelmente havia um fundamento biológico:

> Há na natureza dois métodos de adaptação fundamentalmente diferentes, que garantem a existência contínua do organismo ativo. Um consiste num alto índice de fertilidade, com baixo potencial para defesa e uma vida de curta duração para o indivíduo solitário; o outro consiste em equipar o indivíduo com numerosos recursos

---

[21] Von Franz mostra a diferença entre o método psicológico de Freud e sua tipologia pessoal. O próprio Freud, acreditava ela, era um tipo introvertido sentimental, "e por conseguinte seus escritos demonstram preferência pelas características do seu pensamento extrovertido inferior" (*Jung's Typology*, p. 49).

[22] *Psychological Types*, CW 6, par. 560.

de autopreservação, com um baixo índice de fertilidade […]. [De modo análogo] a natureza peculiar do extrovertido impele-o constantemente a desprender-se e a propagar-se de todas as maneiras, enquanto a tendência do introvertido é defender-se contra as exigências do mundo exterior, a fim de conservar sua energia afastando-a dos objetos, e consolidar assim seu próprio ponto de vista.[23]

Exatamente a razão pela qual alguns indivíduos são levados a possuir maior capacidade – ou disposição – para adaptar-se, de um modo ou de outro, à vida, não se sabe. Jung suspeitava que poderiam existir causas psicológicas, das quais ainda não temos um conhecimento preciso, uma vez que uma inversão ou distorção do tipo muitas vezes causa prejuízos ao bem-estar físico.

Ninguém, claro, é apenas introvertido ou extrovertido. Embora cada um de nós, no processo de seguir a inclinação dominante ou de adaptá-la ao nosso mundo imediato, invariavelmente desenvolva mais uma atitude que as outras, a atitude oposta ainda estará potencialmente presente.

Com efeito, circunstâncias familiares podem forçar uma pessoa a adquirir, na mais tenra idade, uma atitude artificial, violentando, assim, sua tendência inata. "Via de regra", escreve Jung, "sempre que essa deturpação ocorre […] mais tarde o indivíduo

---

[23] *Ibidem*, par. 559.

torna-se neurótico, e só poderá ser curado com o desenvolvimento da atitude consoante com sua natureza."[24]

Isto com certeza traz complicações ao tipo em desenvolvimento, uma vez que todas as pessoas são mais ou menos neuróticas – isto é, parcialmente.

Em geral, o introvertido só não tem consciência de seu lado extrovertido por orientar-se constantemente rumo ao mundo interior. A introversão do extrovertido também está adormecida, aguardando o momento de vir à tona.

Na verdade, a atitude não desenvolvida torna-se um aspecto da sombra, todas aquelas coisas acerca de nós mesmos das quais não temos consciência: nossa potencialidade não realizada, nossa "vida não vivida" (ver "A Tipologia e a Sombra", capítulo 4). Além disso, sendo inconsciente, quando a atitude inferior vier à tona – ou seja, quando a extroversão do introvertido, ou a introversão do extrovertido, for constelada –, atuará de um modo emocional e socialmente desajustado, do mesmo modo como acontece com a função inferior.

Uma vez que os valores do introvertido são contrários aos do extrovertido, a atitude inferior costuma provocar confusões de relacionamento.

Para ilustrar esse fato, Jung conta a história de dois jovens, um do tipo introvertido e outro extrovertido, que passeiam pelo

---

[24] *Ibidem*, par. 560.

campo."[25] Eles chegam a um castelo, que ambos desejam visitar, mas por diferentes motivos. O introvertido deseja conhecer o castelo por dentro; o extrovertido está entusiasmado com a aventura. No portão, o introvertido retorna. "Talvez eles não nos deixem entrar", diz, antevendo cães de guarda, policiais e possíveis penalidades. O extrovertido não se detém. "Oh, eles nos deixarão entrar, sim", diz ele – já imaginando velhos vigias cheios de simpatia e a possibilidade de encontrar uma garota atraente.

Graças ao otimismo do extrovertido, ambos finalmente conseguem entrar no castelo. Lá encontram alguns cômodos empoeirados e uma coleção de antigos manuscritos. Acontece que o principal interesse do introvertido é pelos antigos manuscritos, e ele dá vivas de alegria e folheia atentamente as preciosidades. Conversa com o guarda, procura o administrador, fica excessivamente animado; seu acanhamento desvaneceu-se, os objetos adquiriram um encantamento irresistível.

Nesse meio-tempo, o entusiasmo do extrovertido já se extinguiu. Ele torna-se carrancudo e começa a bocejar. Não existe nenhum velho vigia simpático nem garotas bonitas; apenas um velho castelo transformado em museu. Os manuscritos fazem-no lembrar uma biblioteca, que é associada à universidade; e universidade lembra estudos, exames. Ele acha tudo incrivelmente maçante.

---

[25] Veja *Two Essays*, CW 7, pars. 81ss.

"Não é maravilhoso", exclama o introvertido, "olhe só para isto!" – ao que o extrovertido retruca, mal-humorado: "Nada me interessa aqui, vamos embora". Isso irrita o introvertido, que secretamente jura nunca mais sair para passear com um extrovertido indelicado. O extrovertido sente-se completamente frustrado e agora já não pode pensar em nada, exceto que preferiria estar lá fora, naquele adorável dia primaveril.

Segundo Jung, os dois rapazes estão caminhando juntos em perfeita simbiose, até a chegada ao castelo. Eles desfrutam de certa harmonia, porque estão adaptados um ao outro, formando um todo; a atitude natural de um complementa a do outro.

O introvertido é curioso, mas hesitante; o extrovertido abre a porta. Mas, uma vez dentro do castelo, os tipos se invertem: o primeiro fica fascinado pelo objeto, o segundo deixa-se dominar por pensamentos negativos. O introvertido já não pode ser induzido a sair, e o extrovertido lamenta ter posto os pés no castelo.

O que aconteceu? O introvertido tornou-se extrovertido e vice-versa. Mas a atitude contrária de cada um manifesta-se de uma maneira socialmente inferior; o introvertido, dominado pelo objeto, não percebe que o amigo está aborrecido; e o extrovertido, frustrado em suas expectativas de uma aventura romântica, torna-se melancólico e zangado, sem sequer se incomodar com o arrebatamento do outro.

Trata-se apenas de um exemplo para demonstrar como a atitude inferior é autônoma. Aquilo que não conhecemos em nós mesmos está, por definição, além do nosso controle. Quando a atitude não desenvolvida é "constelada", ou seja, ativada, nós nos tornamos vítimas de toda espécie de emoções que machucam – nós nos tornamos "complexados".

Na história acima, os dois jovens poderiam ser chamados de irmãos de sombra. No relacionamento entre homens e mulheres, as dinâmicas psicológicas são mais bem compreendidas por meio do conceito junguiano dos arquétipos contrassexuais: *anima* – a imagem que o homem faz da mulher ideal – e *animus* – a imagem que a mulher faz do homem ideal.[26]

Em geral, o homem extrovertido tem uma *anima* introvertida, ao passo que a mulher introvertida tem um *animus* extrovertido, e vice-versa. Esse quadro pode mudar por meio do trabalho psicológico, mas essas imagens interiores são frequentemente projetadas em pessoas do sexo oposto. Portanto, os dois tipos de atitude são atraídos pelo seu oposto. É provável que isso aconteça porque cada tipo, inconscientemente, complementa o outro.

É bom lembrar que o introvertido tende a ser reflexivo, a pensar muito e a considerar cuidadosamente as situações antes de agir. A timidez e certa desconfiança com relação aos objetos resultam em hesitação e em alguma dificuldade para adaptar-se ao mundo exterior. O extrovertido, por outro lado, sente-se atraído pelo mundo exterior, deixa-se fascinar pela perspectiva de situações novas e desconhecidas. Via de regra, o extrovertido

---

[26] Veja "The Syzygy: Anima and Animus", *Aion*, CW 9ii.

age primeiro e pensa depois; a ação é rápida e não se sujeita a pressentimentos ou hesitação.

"Os dois tipos", escreve Jung, "parecem assim criados para uma simbiose. Um, por demais cuidadoso com a reflexão; o outro, voltado para a iniciativa e para a ação prática. Quando os dois tipos se casam, podem realizar uma união ideal.[27]

Ao discutir essa situação típica, Jung salienta que essa união é ideal apenas quando os pares se ocupam de sua adaptação às "múltiplas necessidades externas da vida":

> Mas quando [...] a necessidade externa deixa de pressioná--los, ambos têm tempo de ocupar-se um com o outro. Até então, eles permaneceram de costas um para o outro e defendendo-se contra as pressões externas. Mas agora ambos se voltam, face a face, rumo ao conhecimento mútuo – apenas para descobrir que jamais compreenderam um ao outro. Cada um deles fala uma linguagem diferente. Aí começa o conflito entre os tipos. E mesmo quando conduzido de maneira calma, ou dentro da maior intimidade, esse confronto é angustiante, brutal, cheio de mútua depreciação. O valor de um é a negação do valor do outro.[28]

---

[27] *Two Essays*, CW 7, par. 80.
[28] *Idem*.

No decorrer da vida, geralmente somos levados a desenvolver certo grau de introversão e extroversão. Isso é necessário não apenas para coexistir com os outros, mas também para o desenvolvimento do caráter individual. "Não podemos com o correr do tempo", escreve Jung, "permitir que uma parte da nossa personalidade cuide simbioticamente da outra." No entanto, é exatamente isso que acontece quando contamos com amigos, parentes ou amantes para conduzir nossa função ou atitude inferior.

Se não permitirmos – de maneira consciente – que a atitude inferior tenha alguma expressão em nossa vida, sem dúvida ficaremos aborrecidos e entediados, desinteressantes não só para nós mesmos, mas também para os outros. Existe uma energia relacionada com o que quer que seja inconsciente em nós mesmos e, se não a considerarmos, acabaremos por perder o gosto pela vida, que só pode ser levada adiante se nossa personalidade estiver em equilíbrio.

É importante compreender que as ações de uma pessoa nem sempre constituem uma indicação segura do seu tipo de atitude. Um indivíduo afeito à vida social pode, de fato, ser um tipo extrovertido, mas não necessariamente. De modo análogo, longos períodos de solidão não significam, automaticamente, que uma pessoa seja introvertida. A pessoa que tem uma vida social intensa pode ser um introvertido vivendo além da sua sombra; o solitário pode ser um extrovertido que esgotou suas forças ou foi forçado, pelas circunstâncias, a ficar só. Em outras palavras, uma atividade particular pode ser associada à introversão ou à extroversão, mas não é suficiente para identificar o tipo psicológico.

O principal fator para determinar o tipo, simplesmente ao contrário da atitude em geral proeminente, não é o que uma pessoa faz, mas, antes, a motivação para fazê-lo — *a direção rumo à qual a energia dessa pessoa flui natural e comumente*: para o extrovertido, o objeto é interessante e atraente, ao passo que o sujeito, ou a realidade psíquica, é de sumo interesse para o introvertido.

Quer alguém seja predominantemente introvertido ou extrovertido, existem implicações psicológicas inevitáveis, devido ao papel do inconsciente. Algumas dessas implicações serão mencionadas no próximo tópico e, mais especificamente, nos capítulos que descrevem de maneira detalhada as características de cada tipo de atitude. Quanto às consequências clínicas particulares, veja apêndice 1: "A Significação Clínica da Extroversão e da Introversão".

O PAPEL DO INCONSCIENTE

A grande dificuldade de diagnosticar os tipos deve-se ao fato de a atitude consciente dominante ser inconscientemente compensada ou equilibrada pelo seu oposto. Tanto as atitudes típicas da introversão como da extroversão revelam uma tendência substancial, que condiciona todo o processo psíquico do indivíduo. O modo pelo qual ele costuma reagir determina não apenas o estilo de comportamento, mas também a qualidade da experiência subjetiva. Determina ainda o que é exigido, em termos de compensação, pelo inconsciente. Como toda atitude é em si unilateral, ocorrerá uma completa perda do equilíbrio psíquico se não houver uma compensação por meio de uma contraposição inconsciente.

É por isso que, juntamente com o comportamento introvertido, ou oculto sob ele, existe uma atitude extrovertida inconsciente que compensa, de imediato, a unilateralidade da consciência. De modo análogo, a parcialidade da extroversão é contrabalançada ou abrandada pela atitude introvertida inconsciente.

No sentido exato da palavra, a "atitude do inconsciente" não é demonstrável, apenas existindo processos de funcionamento que são dissimulados pela inconsciência. É, pois, nesse sentido que se pode falar de uma atitude contrabalançada dentro do inconsciente.

Como já vimos, em geral apenas uma das quatro funções é diferenciada o suficiente para ser livremente manipulada pela vontade consciente. As outras, sobretudo a função inferior, são total ou parcialmente inconscientes. Portanto, a orientação consciente do tipo reflexivo é equilibrada pelo sentimento inconsciente, e vice-versa, ao passo que a sensação é compensada pela intuição, e assim por diante.

Jung fala de um "acento numinoso" que cai sobre o objeto ou o sujeito, quer a pessoa seja extrovertida ou introvertida. Esse acento numinoso também "seleciona" uma ou outra das quatro funções, cuja diferenciação é, essencialmente, uma consequência empírica das diferenças típicas na atitude funcional.[29] Por essa razão, constata-se o sentimento extrovertido num tipo introvertido intelectual, a sensação introvertida num tipo extrovertido intuitivo e assim por diante.

Outro problema para estabelecer uma tipologia de pessoas é que as funções não diferenciadas e inconscientes podem alterar a personalidade de tal modo que um observador atento poderá perfeitamente confundir um tipo com o outro.

Por exemplo: os tipos racionais (reflexivos e sentimentais) terão funções irracionais relativamente inferiores (sensação e intuição). O que eles fazem de modo consciente e intencional pode estar de acordo com a razão (a partir do ponto de vista deles), mas o que acontece a eles pode ser bem caracterizado como sensações e intuições primitivas e infantis. Segundo Jung:

> Como existe um vasto número de pessoas cuja existência consiste muito mais no que lhes acontece do que em ações governadas por intenções racionais, [um espectador], após observá-los de perto, poderia facilmente descrever [tipos reflexivos e sentimentais] como irracionais. E deve-se reconhecer que apenas com bastante frequência o inconsciente de um homem provoca uma impressão infinitamente mais forte sobre quem o observa do que aquela que o seu consciente poderia produzir, e que suas ações são de

---

[29] *Psychological Types*, CW 6, pars. 982ss.

uma importância consideravelmente maior do que suas intenções racionais.[30]

Pode ser mais difícil estabelecer o tipo de um ou outro indivíduo, sobretudo quando este já tiver se entediado com sua função superior e com sua atitude dominante. Von Franz comenta:

> Eles geralmente lhe garantem, com absoluta sinceridade, que pertencem ao tipo contrário ao que são de fato. O extrovertido jura ser profundamente introvertido e vice-versa. Isso deve-se ao fato de que a função inferior subjetivamente se sente a única verdadeira, acha-se a mais importante, a mais genuína atitude [...] Não é bom, portanto, pensar sobre o que *importa* mais quando se tenta descobrir o tipo de uma pessoa; deve-se, antes, perguntar: "O que eu, habitualmente, *faço* mais?".[31]

De fato, é muito útil perguntar-se: qual é o meu maior sofrimento? Do que padeço mais? Que tipo de conduta é esta que me mete em apuros e faz com que eu pareça ridículo? As respostas para essas perguntas geralmente conduzem à atitude e à função inferiores, que, com alguma determinação e uma boa dose de paciência, poderão atingir talvez o nível da consciência.

---

[30] *Ibidem*, par. 602.

[31] *Jung's Typology*, p. 16.

ADVERTÊNCIA AO LEITOR

Agora ficará bem claro que, embora exista distinção e simetria elementares com relação ao modelo de tipologia de Jung, seu uso como ferramenta para diagnosticar, ou mesmo como guia para o autoconhecimento, está longe de ser simples. Por isso, Jung adverte seus leitores:

> Embora, sem dúvida, existam indivíduos cujo tipo pode ser reconhecido à primeira vista, este nem sempre é o caso. Via de regra, apenas uma observação cuidadosa e uma ponderação entre os prós e os contras da evidência permitem uma classificação correta. Por mais simples e claro que seja seu princípio fundamental, as atitudes e funções contrárias são realmente complicadas e difíceis de compreender, pois todo indivíduo é uma exceção à regra.[32]

O que se segue nos próximos capítulos é, em grande parte, uma destilação dos escritos de Jung sobre o assunto, observações de Marie-Louise von Franz e minha própria experiência.

O leitor deve ter em mente que as descrições dos tipos, e até mesmo o modelo em si, não são absolutamente definitivos. Como o próprio Jung afirmou, "a classificação dos tipos de acordo com a introversão, com a extroversão e com as quatro funções básicas

---

[32] *Psychological Types*, CW 6, par. 895.

[não é] a única possível".³³ Ele acreditava, entretanto, que seu modelo era útil, um modo prático de nos orientarmos psicologicamente, assim como nos orientamos geograficamente por meio da latitude e da longitude:

> As quatro funções são, de certa maneira, como os quatro pontos da bússola: tão arbitrárias quanto indispensáveis. Nada nos impede de mudar a ordem dos pontos cardeais, do modo que bem entendermos, rumo a uma direção ou outra, ou de dar-lhes nomes diferentes. Trata-se simplesmente de uma questão de convenção e de inteligibilidade. Mas uma coisa devo confessar: por nada no mundo eu dispensaria esta bússola em minhas viagens de descobertas psicológicas.³⁴

Deve-se, além disso, reconhecer que qualquer coisa escrita aqui (como em qualquer outro lugar) não poderia deixar de ser influenciada pela tipologia do escritor.

Pessoalmente, até onde posso dizer após cerca de vinte e cinco anos de reflexão sobre minha própria psicologia, eu *talvez* seja um tipo introvertido sensitivo – no momento. Meu pensamento é, de um modo geral, uma boa função auxiliar, meu sentimento é errante e minha intuição é particularmente difícil de vir à tona.

---

³³ *Ibidem*, par. 914.

³⁴ *Ibidem*, par. 958s.

Mas eu me recordo de outros tempos, quando agia de maneira completamente diferente – no curso básico, por exemplo, como um tipo reflexivo e espalhafatoso; na universidade, como um tipo extrovertido o suficiente para me tornar presidente do grêmio estudantil... e de outras épocas, quando o introvertido sentimental era certamente dominante. E então, é claro, havia aqueles períodos em que a intuição me era muito útil de fato...

Quanto à própria tipologia de Jung, suas pesquisas e descobertas científicas indicam uma função reflexiva dominante, ao lado de funções auxiliares de sensação e intuição bem desenvolvidas. Entretanto – e isso também é evidente – sua função de sentimento não era notavelmente inferior, como se percebe por sua habilidade em avaliar quanto algo ou alguém lhe importava.

Quanto a se Jung era introvertido ou extrovertido, podemos afirmar com segurança que só um introvertido poderia dizer, como Jung o faz no prólogo de suas *Memórias, Sonhos, Reflexões*:

> Quando não possuímos nenhuma resposta interior para os problemas e complexidades da vida é porque eles, fundamentalmente, significam muito pouco. As circunstâncias exteriores não substituem a experiência interior. Por essa razão, minha vida tem sido excepcionalmente pobre em acontecimentos exteriores. Não posso dizer muito a respeito deles, pois isso me pareceria inútil e insubstancial.

Posso compreender a mim mesmo apenas à luz dos acontecimentos interiores. É isso que compõe a singularidade da minha vida.[35]

— embora seja verdade que um caduco extrovertido possa muito bem dizer o mesmo...

Bem-vindo, então, à aventura de conhecer o modelo junguiano dos tipos psicológicos.

---

[35] *Memories, Dreams, Reflections* (Londres: Fontana Library, 1967), p. 19.

Capítulo 2

A EXTROVERSÃO E AS QUATRO FUNÇÕES

A ATITUDE EXTROVERTIDA

Quando a orientação consciente de uma pessoa é determinada pela realidade objetiva – fatos ocorridos no mundo exterior –, podemos falar de uma atitude extrovertida. Quando isso é habitual, temos um tipo extrovertido.

> A extroversão é caracterizada pelo interesse pelo objeto exterior, pela resposta e reação a esse objeto e por uma pronta aceitação dos acontecimentos externos, por um desejo de influenciar e ser influenciado pelos eventos, por uma necessidade de "se incorporar e de se harmonizar" com eles,

pela capacidade de suportar – e realmente achar agradável – toda espécie de agitação e barulho, pela constante atenção dirigida para o mundo ao redor, pelo cultivo de amigos e conhecidos – nenhum deles selecionado de maneira muito cuidadosa – e, finalmente, pela grande importância que o tipo extrovertido atribui à própria imagem e, consequentemente, por uma forte tendência a exibir-se. Por conseguinte, a filosofia de vida e a ética do extrovertido são, via de regra, de caráter altamente social, apresentando um acentuado traço de altruísmo, e sua consciência depende, em grande medida, da opinião pública... Suas convicções religiosas são determinadas, por assim dizer, pela opinião da maioria.[11]

Em geral, o extrovertido confia naquilo que advém do mundo exterior e, da mesma forma, não tende a submeter motivos pessoais a julgamentos criteriosos.

O sujeito real (a pessoa extrovertida), na medida do possível, abriga-se na obscuridade. Ele se esconde de si mesmo, sob os véus da inconsciência [...]. Ele não tem segredos, não os tem mais, já que os compartilhou com os outros. Todavia, se algo vergonhoso lhe ocorrer, ele preferirá esquecê-lo. Tudo quanto possa macular sua

---

[1] *Psychological Types*, CW 6, par. 972.

ostentação de otimismo e sua convicção será evitado. O que quer que ele pense, pretenda e faça será mostrado com entusiasmo e firmeza.²

De acordo com Jung, a vida psíquica desse tipo é determinada do exterior, estritamente em reação ao ambiente:

> Ele vive nos outros e através dos outros; qualquer autocomunhão lhe causa horror. Quanto aos perigos que o rodeiam, é melhor afugentá-los pelo alarde. Por mais que um "complexo" o perturbe, ele encontrará refúgio nos círculos sociais e permitir-se-á assegurar-se, várias vezes por dia, de que tudo está em ordem.³

Embora essas observações pareçam um tanto ásperas e desdenhosas, Jung conclui a descrição que faz do tipo extrovertido com uma avaliação positiva: "Desde que não se trate de uma pessoa demasiado intrometida, atrevida e superficial, ela evidentemente pode ser um membro útil para a comunidade".⁴

Jung acreditava que a diferenciação do tipo começa muito cedo, "tão cedo que em alguns casos deve-se falar dela como inata":

---

² *Ibidem*, par. 973.
³ *Ibidem*, par. 974.
⁴ *Idem*.

O primeiro sinal de extroversão numa criança é sua rápida adaptação ao ambiente que a cerca e a extraordinária atenção que ela dedica aos objetos e, especificamente, ao efeito que ela exerce sobre eles. O medo de objetos é mínimo; a criança vive e movimenta-se entre eles com segurança [...] e por isso pode brincar livremente e aprender por meio deles. Ela gosta de levar suas aventuras até o limite; gosta de expor-se a riscos. Tudo o que é desconhecido a fascina.[5]

Embora todas as pessoas sejam inevitavelmente afetadas pelos dados objetivos, os pensamentos, as decisões e os padrões de comportamento do extrovertido são realmente determinados – e não apenas influenciados – mais pelas condições objetivas que pelas observações subjetivas.

O extrovertido naturalmente possui seus próprios pontos de vista, mas estes estão subordinados às condições que encontra no mundo exterior. A vida interior é sempre relegada ao segundo plano, em função das exigências externas. Sua consciência está inteiramente voltada para o mundo exterior, pois é daí que procedem os determinantes essenciais e decisivos. O interesse e a atenção se concentram em fatos objetivos, em coisas e nas outras pessoas, geralmente as que se encontram no ambiente imediato. Jung dá alguns exemplos desse tipo:

---

[5] *Ibidem*, par. 896.

Santo Agostinho: "Eu não acreditaria no Evangelho se a autoridade da Igreja Católica não me obrigasse a isso". Uma filha respeitadora: "Eu não me permitiria pensar em nada que desagradasse a meu pai". Um homem julga uma música moderna bonita porque todos a acham bonita. Um outro casa-se para agradar aos pais, embora contra seus próprios interesses. Há pessoas que inventam de se fazer ridículas para divertir os outros [...] Não são poucos os que, em tudo o que fazem ou não, têm apenas uma questão em mente: o que os outros pensarão deles?[6]

Os pontos de vista do extrovertido são ditados pelos padrões morais predominantes. Quanto mais esses padrões mudam, mais o extrovertido adapta sua visão e seus padrões de comportamento para ajustar-se a eles. Sua capacidade e inclinação para adaptar-se às condições externas vigentes são, ao mesmo tempo, sua força e sua limitação. Ele é tão fortemente voltado para o exterior que chega a descuidar de seu próprio corpo – até ele sucumbir. O próprio corpo não é suficientemente objetivo ou "exterior" para merecer sua atenção. Por esse motivo, o extrovertido facilmente negligencia a satisfação das necessidades básicas indispensáveis ao bem-estar físico.

Não apenas o corpo sofre, mas a psique também. O desgaste do corpo manifesta-se por meio de sintomas físicos, os quais até

---

[6] *Ibidem*, par. 892.

mesmo o extrovertido não pode ignorar; o desgaste da psique, por sua vez, evidencia-se nas formas de comportamento fora do normal, que ninguém, exceto ele, pode ignorar.

A extroversão é uma vantagem evidente nas situações sociais e na resposta às exigências externas. Mas uma atitude demasiado extrovertida pode sacrificar inconscientemente o sujeito a fim de satisfazer o que ele considera como exigências objetivas – as necessidades dos outros, por exemplo, ou as muitas exigências de um negócio em expansão.

"Este é o perigo do extrovertido", diz Jung. "Ele se deixa atrair pelos objetos e perde-se completamente neles. Os distúrbios funcionais resultantes, nervosos ou físicos, têm um valor compensatório, à medida que o forçam a um autodomínio involuntário."[7]

A forma de neurose que mais provavelmente atormentará o extrovertido é a histeria, que se manifesta sob a forma de uma pronunciada identificação com pessoas no ambiente imediato, bem como sob a forma de uma adaptação às condições externas, que chega às raias da imitação.

Os histéricos irão ao extremo para cativar as outras pessoas e provocar boa impressão. Eles são visivelmente sugestionáveis, por demais influenciados pelos outros e pródigos "contadores de histórias", a ponto de distorcer fantasticamente a verdade.

---

[7] *Ibidem*, par. 565.

A neurose histérica tem início quando ocorre um exagero de todas as características comuns da extroversão, que então se complica pelas reações compensatórias provenientes do inconsciente; este, por sua vez, opõe-se à extroversão excessiva por meio de sintomas que obrigam o indivíduo a se voltar para dentro. Esse movimento constela a introversão inferior do extrovertido e produz uma série de outros sintomas, entre os quais a fantasia mórbida e o horror à solidão são os mais típicos.

A tendência do extrovertido é sacrificar a realidade interior em função das circunstâncias exteriores. Isso não constitui um problema enquanto a extroversão não for por demais excessiva. Mas, na medida em que se tornar necessário compensar a inclinação à unilateralidade, ocorrerá um exagero involuntário do fator subjetivo, ou seja, uma tendência marcadamente egocêntrica no inconsciente.

Todas as necessidades ou desejos que foram abafados ou reprimidos pela atitude consciente virão, por assim dizer, "à porta dos fundos", na forma de pensamentos primitivos e infantis e de emoções egoístas.

A adaptação do extrovertido à realidade objetiva impede efetivamente que os impulsos subjetivos menos fortes cheguem à consciência. Porém, os impulsos reprimidos nem por isso perdem sua energia. Apenas, visto que estão no nível inconsciente, manifestar-se-ão de maneira primitiva e arcaica. Quanto mais as necessidades subjetivas forem reprimidas ou ignoradas, mais a energia armazenada no inconsciente atuará para debilitar a atitude consciente.

O perigo é que o extrovertido, tão habitual e aparentemente abnegado, tão afeito ao mundo exterior e às necessidades de outras pessoas, poderá tornar-se totalmente indiferente. Jung escreve:

> Quanto mais plena for a atitude consciente do extrovertido, mais infantil e arcaica será sua atitude inconsciente. O egoísmo que a caracteriza vai muito além do mero interesse infantil; esse egoísmo tende a ser implacável e brutal.[8]

Sempre que se torna ativo em demasia, o inconsciente se manifesta de maneira sintomática. Em casos extremos, o egoísmo, a infantilidade e o primitivismo – que em geral atuam como uma compensação saudável e relativamente benéfica – instigam a consciência a uma exageração absurda, o que posteriormente provocará a repressão do inconsciente.

A eventual explosão assumirá uma forma objetiva quando as ações externas forem impedidas ou alteradas pelas considerações subjetivas.

Jung conta a história de um tipógrafo que progrediu graças ao próprio esforço e, após alguns anos de luta, tornou-se proprietário de um próspero negócio. A firma expandiu-se e

---

[8] *Ibidem*, par. 572.

absorveu-o por completo. Finalmente, o negócio acabou por fazer desaparecer todos os seus outros interesses. Então, uma compensação inconsciente de sua unilateralidade, lembranças de sua infância, de seu aprimorado gosto pela pintura e pelo desenho vieram-lhe à mente. Mas em vez de reencetar essa atividade como um passatempo que complementaria de forma agradável suas preocupações comerciais, ele a incorporou ao negócio e passou a decorar artisticamente seus produtos. E como sua inclinação para o desenho era primitiva e infantil, seu negócio acabou falindo.[9]

Esse desfecho pode ser também de natureza subjetiva – um colapso nervoso. Isso pode acontecer quando a influência do inconsciente finalmente paralisa a ação consciente.

As exigências do inconsciente arremessam-se, então, de maneira imperiosa sobre a consciência, provocando uma ruptura desastrosa que se revela por meio de uma destas duas maneiras: ou o sujeito sequer sabe o que realmente deseja e nada lhe desperta o interesse, ou ele quer muito de uma só vez e tem numerosos interesses, mas por coisas impossíveis de serem realizadas. Por razões culturais, a supressão das exigências infantis e primitivas facilmente leva à neurose ou ao abuso de narcóticos, como o álcool,

---

[9] *Ibidem*, par. 572.

a morfina, a cocaína etc. Nos casos mais graves, essa ruptura termina em suicídio.[10]

Em geral, a atitude compensadora do inconsciente atua para manter o equilíbrio psíquico. Por essa razão, mesmo o indivíduo normalmente extrovertido agirá, às vezes, de maneira introvertida. Entretanto, quando a atitude extrovertida predomina, a função mais desenvolvida manifesta-se de forma extrovertida, enquanto as funções inferiores atuarão de maneira mais ou menos introvertida.

A função superior é sempre uma expressão da personalidade consciente, dos seus objetivos, desejos e desempenho geral, ao passo que as funções menos diferenciadas caem na categoria de coisas que simplesmente "acontecem" ao indivíduo.[11]

Um bom exemplo disso é o tipo extrovertido sentimental, que em geral gosta de concordar com os pontos de vista de outras pessoas e que, não obstante – ocasionalmente –, emite opiniões ou faz observações indelicadas e grosseiras. Ele pode dar pêsames num casamento e congratulações num funeral. Essas gafes provêm do pensamento inferior, da quarta função, que

---

[10] *Ibidem*, par. 573.
[11] *Ibidem*, par. 575.

nesse tipo não está sob controle consciente e, portanto, relaciona-se mal com as outras.

O inconsciente costuma manifestar-se por meio das funções menos diferenciadas, as quais, no extrovertido, geram um desvirtuamento subjetivo e uma tendência ao egocentrismo. Além disso, como já foi mencionado na introdução, a contínua afluência do conteúdo inconsciente para dentro do processo psicológico consciente é tão intensa que se torna muitas vezes difícil para um observador dizer quais funções pertencem à personalidade consciente e quais pertencem à personalidade inconsciente. Além disso, como Jung assinala, essa dificuldade é ainda agravada pela psicologia do próprio observador:

> De um modo geral, o observador que julga (tipo reflexivo ou sentimental) estará inclinado a se ater ao caráter consciente do processo, ao passo que o observador perceptivo (tipo sensitivo ou intuitivo) será mais influenciado pelo caráter inconsciente. Afinal, o julgamento trata, sobretudo, da motivação consciente do processo psíquico, enquanto a percepção registra o processo em si.[12]

Portanto, para decidir a que tipo de atitude a função superior pertence, é necessária uma observação rigorosa: qual função está mais sujeita ao domínio consciente e quais funções se manifestam

---

[12] *Ibidem*, par. 576.

de maneira casual ou impetuosa? A função superior — se é que existe uma — é sempre desenvolvida num grau bem mais alto do que as outras, as quais invariavelmente possuem características infantis e primitivas. Além do mais, é preciso estar sempre atento às próprias tendências tipológicas, pois estas influem, inevitavelmente, sobre todo tipo de observação.

O TIPO EXTROVERTIDO REFLEXIVO

Quando a vida de um indivíduo é governada sobretudo pela reflexão, de tal forma que suas ações procedam de razões consideradas do ponto de vista intelectual, podemos falar de um tipo reflexivo. Quando esse modo de ser é combinado com uma orientação direcionada para o mundo exterior, temos um tipo extrovertido reflexivo.

A função do pensamento não tem uma conexão necessária com a inteligência ou com a qualidade do pensamento. Trata-se, simplesmente, de um processo. O pensamento ocorre quando formulamos um conceito científico, refletimos sobre as notícias diárias ou fazemos o cálculo de uma conta de restaurante. O pensamento será extrovertido ou introvertido, dependendo da forma como for orientado: se para o objeto ou para o sujeito.

O pensamento extrovertido é condicionado por dados objetivos transmitidos pelas percepções sensoriais. Sendo uma função racional, ou de julgamento, o pensamento pressupõe um julgamento. Para formá-lo, o extrovertido reflexivo fixa-se nos critérios fornecidos pelas circunstâncias externas, isto é, nas regras transmitidas pela tradição e pela cultura.

Os tipos extrovertidos reflexivos deixam-se fascinar pelo objeto como se, sem ele, não pudessem viver. Para eles, a reflexão é algo que gira em torno das condições e circunstâncias exteriores. Isso pode ser tão vantajoso e criativo como o pensamento introvertido, mas, para as pessoas de uma tipologia diferente, esse modo de ser pode afigurar-se bastante limitado.

> Esse tipo será, por definição, um homem que se empenha constantemente – desde, é claro, que se trate de um tipo puro – em agir de acordo com o intelecto que, em última instância, é sempre orientado pelos dados objetivos, quer sejam acontecimentos externos, quer sejam ideias geralmente aceitas. Esse tipo de homem eleva a realidade objetiva, ou uma fórmula intelectual objetivamente orientada, à categoria de um princípio regulador de si mesmo e de todo o ambiente que o circunda.[13]

No seu melhor momento, os extrovertidos reflexivos são estadistas, advogados, virtuosos pesquisadores, respeitáveis filósofos, empresários bem-sucedidos. São excelentes no que toca à organização, seja teoricamente, seja na vida prática, ou às reuniões comerciais. Com um aguçado senso dos fatos, eles ajudam

---

[13] *Ibidem*, par. 585.

a esclarecer situações complicadas e emocionais. São homens ativos em qualquer tipo de empreendimento; conhecem as regras da conveniência e sabem quando e como aplicá-las.

No pior dos casos, esse tipo torna-se um religioso fanático, um político oportunista, um homem (ou mulher) mentiroso, um pedagogo severo que não tolera que discordem de suas opiniões.

De acordo com Jung, os tipos extrovertidos reflexivos radicais subordinam a si próprios e aos outros à sua "fórmula", um sistema de regras, ideais e de princípios que, afinal, torna-se um rígido código moral. Eles pretendem atingir a marca da justiça e da verdade, com base, porém, no que consideram ser a mais pura formulação concebível da realidade objetiva. "Deveres" e "obrigações" são aspectos tipicamente proeminentes de seus pontos de vista intelectuais. As pessoas que os rodeiam devem, para o bem de todos, obedecer à "lei universal":

> Se a fórmula for suficientemente liberal, esse tipo poderá desempenhar um papel muito útil na vida social como promotor, reformista, defensor de causas humanitárias ou divulgador de importantes inovações. Mas quanto mais rígida for essa fórmula, mais ele se tornará um tirano, um ser pedante e pretensioso, que forçará a si próprio e aos outros a se sujeitarem a um padrão único de comportamento.[14]

---

[14] *Idem.*

Devido à atitude extrovertida, as ações e o prestígio desse tipo geralmente são mais apreciados à distância: tanto a família como os amigos parecem-lhe ideais para ensaiar a aplicação dessa fórmula intelectual, mas os problemas decorrentes desse contato íntimo provocam-lhe ímpetos de reagir de modo tirânico, autoritário. Portanto, seus princípios elevados e rigorosos frequentemente encontrarão mais receptividade entre as pessoas com as quais não estão particularmente envolvidos.

Os efeitos mais perniciosos do pensamento extrovertido são constatados nas pessoas que agem dessa maneira. Visto que os parâmetros básicos de sua existência são as ideias, os ideais, as regras e os princípios objetivos, pouca atenção é dada ao sujeito.

> O fato de nunca ter sido inventada, e nunca o será, uma fórmula intelectual que pudesse açambarcar e expressar as múltiplas possibilidades da vida pode levar à inibição ou exclusão de outras atividades e modos de vida igualmente importantes [...]. Mais cedo ou mais tarde, dependendo das circunstâncias exteriores ou da disposição interior, as potencialidades reprimidas pela atitude intelectual se farão sentir, perturbando a conduta consciente do indivíduo. E quando essa perturbação atingir um grau decisivo, poderemos falar de uma neurose.[15]

---

[15] *Ibidem*, par. 587.

A função mais antitética à do pensamento é a do sentimento. Portanto, nesse tipo, como é demonstrado no diagrama da página 69, o sentimento introvertido será, sem dúvida alguma, inferior. Isto significa que as ações subordinadas ao sentimento – gosto estético, senso artístico, cultivo de amigos, tempo com a família, relacionamento afetivo etc. – tendem a ser prejudicadas. Marie-Louise von Franz descreve o sentimento introvertido como algo "muito difícil de se compreender":

> Um ótimo exemplo é o poeta austríaco Rainer Maria Rilke, que uma vez escreveu: "Eu a amo, mas isso não é da sua conta". É um caso de amor pelo amor. O sentimento é muito forte, mas não flui em direção ao objeto. Trata-se, antes, de um estado de amor consigo mesmo. Naturalmente, esse tipo de sentimento é muito mal compreendido; por isso as pessoas desse tipo são consideradas frias, indiferentes. Mas não o são, de modo algum; o sentimento existe plenamente dentro delas.[16]

À medida que o pensamento é extrovertido, a função do sentimento é infantil e reprimida. "Se a repressão for bem-sucedida", escreve Jung,

---

[16] *Lectures on Jung's Typology* (Zurique: Spring Publications, 1971), p. 39.

```
                PENSAMENTO EXTROVERTIDO
                    (Função Dominante)
                          ┌───┐
                      ╱         ╲
                    ╱             ╲
  INTUIÇÃO       ┤                 ├    SENSAÇÃO
(Função Auxiliar) │                 │  (Função Auxiliar)
                    ╲             ╱
                      ╲         ╱
                          └───┘
                SENTIMENTO INTROVERTIDO
                    (Função Inferior)
```

o sentimento subliminar atuará então no sentido oposto ao dos objetivos conscientes, chegando até mesmo a produzir efeitos cuja causa será um completo enigma para o indivíduo. Por exemplo: o altruísmo consciente desse tipo, que muitas vezes chega a ser surpreendente, pode ser contrariado por uma espécie de egoísmo secreto, o que provocará uma tendência interesseira em ações que, em si mesmas, são desinteressadas [...].

Há idealistas extrovertidos consumidos de tal modo pelo desejo de salvar a humanidade que não hesitam em recorrer a mentiras ou tramoias na busca de seu ideal [...] Sua premissa é: o fim justifica os meios. Apenas uma função inferior, operando inconscientemente e em segredo, poderia desencaminhar pessoas bem-conceituadas para esse tipo de desequilíbrio.[17]

O sentimento introvertido inferior manifesta-se tipicamente numa atitude consciente, mais ou menos impessoal. Por essa razão, as pessoas desse tipo podem parecer frias e hostis. Do seu ponto de vista, no entanto, elas estão simplesmente mais interessadas nos fatos do que na consequência que suas atitudes poderão causar nos outros.

Num caso extremo, essa postura leva à negligência de seus próprios interesses vitais, bem como os de sua família. Para compensar tal atitude, os sentimentos inconscientes tornam-se altamente pessoais e hipersensíveis – mesquinhos, agressivos e desconfiados.

Enquanto isso, sua "fórmula" intelectual adotada, que poderia realmente possuir um mérito intrínseco, torna-se cada vez mais rígida e dogmática, absolutamente fechada a qualquer tipo de inovação. Ela pode assumir até mesmo a qualidade religiosa do absolutismo.

> Todas as tendências psicológicas que foram reprimidas estabelecem, a partir de então, uma contraposição dentro do inconsciente, dando origem aos paroxismos da dúvida. Quanto mais tenta se afastar da dúvida, mais a atitude

---

[17] *Psychological Types*, CW 6, par. 588.

consciente torna-se fanática, pois o fanatismo é apenas uma dúvida altamente compensada. Finalmente, essa manifestação leva a uma defesa exagerada da posição consciente e à formação de uma contraposição – em nível inconsciente – absolutamente oposta.[18]

A essa altura, há o perigo de um colapso total da atitude consciente. A menos que os elementos inconscientes perturbadores atinjam o nível consciente, o pensamento do extrovertido – que geralmente é positivo e criativo – tornar-se-á estagnado e regressivo. A fórmula degenera-se numa superstição intelectual, enquanto o indivíduo torna-se sombrio, rancoroso ou, em casos extremos, uma pessoa insociável e melancólica.

As manifestações do sentimento introvertido inferior desse tipo são menos desagradáveis, mas, para o observador, não são menos intrincadas: súbitas e inexplicáveis explosões de afeição; sentimento violento e duradouro de lealdade sem razão; ligações sentimentais ou interesses místicos que desafiam qualquer lógica.

Em tais circunstâncias, o processo de pensamento consciente é arruinado pelas reações primitivas, que têm sua fonte no inconsciente do sujeito e no sentimento não diferenciado.

---

[18] *Ibidem*, par. 591.

O TIPO EXTROVERTIDO SENTIMENTAL

O sentimento do tipo extrovertido, tal como ocorre com o pensamento extrovertido, é orientado pelos dados objetivos e geralmente em harmonia com os valores objetivos.

Sendo uma função racional que determina o valor de alguma coisa, poder-se-ia concluir que o sentimento se baseia nos valores subjetivos. Contudo, segundo Jung, essa afirmação é verdadeira apenas no que diz respeito ao sentimento introvertido:

> O sentimento extrovertido se afasta, tanto quanto possível, do fator subjetivo e se submete inteiramente à influência do objeto. Mesmo quando parece não estar limitado por um objeto concreto, ainda estará sujeito, no entanto, ao encanto de algum tipo de valor tradicional ou geralmente aceito.[19]

Uma característica do sentimento extrovertido consiste em procurar criar ou manter condições harmoniosas no ambiente que o circunda. Por exemplo, o tipo extrovertido sentimental dirá que algo é "belo" ou "bom", não por causa de uma avaliação subjetiva, mas porque, de acordo com a situação social, talvez seja apropriado agir assim. Não se trata de fingimento ou de hipocrisia, mas de uma genuína expressão do sentimento em sua forma extrovertida – um ato de adaptação aos critérios objetivos.

---

[19] *Ibidem,* par. 595.

Um quadro, por exemplo, é considerado "bonito" porque geralmente se admite que um quadro, pendurado numa sala de visitas e ostentando uma assinatura famosa, é algo bonito, ou então porque chamá-lo de "horrível" provavelmente ofenderia a família ou o afortunado possuidor de tal obra, ou ainda porque a visita deseja criar uma atmosfera sentimental agradável e, para tanto, está disposta a aceitar tudo como agradável.[20]

Sem o sentimento extrovertido, a vida social "civilizada" seria virtualmente impossível. As expressões coletivas de cultura dependem dele. Devido ao sentimento extrovertido, as pessoas vão ao teatro, aos concertos, à igreja e à ópera; participam de reuniões comerciais, de piqueniques promovidos pela empresa, de festas de aniversário etc.; enviam cartões de Natal ou de Páscoa, comparecem a casamentos e funerais, celebram aniversários e comemoram o Dia das Mães.

Em geral, os tipos extrovertidos sentimentais são cordiais e fazem amigos com facilidade. Rapidez não lhes falta para avaliar o que a situação exterior requer e se sacrificam de boa vontade pelos outros. Eles transmitem uma atmosfera de calorosa e sincera acolhida e sabem, numa festa, manter o ritmo de uma boa conversa. Exceto em casos extremos, o sentimental possui alguma qualidade pessoal – um genuíno relacionamento com as

---

[20] *Idem.*

outras pessoas, por exemplo –, mesmo quando o fator subjetivo é amplamente suprimido. A impressão predominante que se tem a seu respeito é a de uma pessoa bem adaptada às condições exteriores e aos valores sociais.

Jung descreve a manifestação típica do sentimento extrovertido numa mulher:

> Ela ama o homem "adequado", e a ninguém mais. O homem é adequado não porque agrade à sua natureza subjetiva oculta – a respeito da qual ela, geralmente, nada sabe –, mas porque corresponde a todas as razoáveis expectativas quanto à sua idade, quanto à posição social, situação financeira, importância e respeitabilidade de sua família etc. [...]. O sentimento amoroso desse tipo de mulher [...] é genuíno, e não apenas astuto e interesseiro [...]. Há um sem-número de "razoáveis" casamentos dessa espécie, e não são, de modo algum, os piores. Tais mulheres são boas companheiras e excelentes mães, desde que o marido e os filhos sejam coroados com a constituição psíquica convencional.[21]

O perigo, para esse tipo, está em se deixar dominar inteiramente pelo objeto – pelos padrões tradicionais e geralmente aceitos – e, assim, perder todos os resquícios do sentimento subjetivo, ou seja, daquilo que está acontecendo dentro de si mesmo.

---

[21] *Ibidem*, par. 597.

O sentimento extrovertido, quando destituído dos parâmetros pessoais, perde todo o seu encanto e – como geralmente ocorre com a extrema extroversão – torna-se inconsciente dos estímulos ocultos e egocêntricos. Ele vai ao encontro das exigências ou das expectativas proporcionadas pelas situações exteriores e se detém aí. Satisfaz a estética exigida do momento, mas é estéril. As expressões normalmente sinceras do sentimento tornam-se mecânicas, seus gestos de empatia parecem artificiais ou interesseiros.

> Se esse processo continua, o resultado será uma dissociação curiosamente contraditória do sentimento: todas as coisas se transformam num objeto de avaliações sentimentais; travam-se inumeráveis relacionamentos, cada qual em desavença com os demais. Como essa situação tornar-se-ia praticamente impossível, caso o sujeito prestasse a cada coisa a mesma importância, até os últimos vestígios de um verdadeiro ponto de vista pessoal são reprimidos. O sujeito torna-se de tal modo envolvido na teia dos processos sentimentais individuais que o observador terá a impressão de que há apenas um processo sentimental, e não mais um sujeito do sentimento. Nesse estágio, o sentimento perdeu todo o calor humano; dá a impressão de ser falso, volúvel, inconstante e, na pior das hipóteses, histérico.[22]

---

[22] *Ibidem*, par. 596.

Para esse tipo, é da máxima importância estabelecer uma boa harmonia sentimental com o ambiente ao redor. Mas quando isso se torna demasiado importante, o sujeito – a pessoa que sente – é tragado. O sentimento perde então sua qualidade pessoal e se torna sentimento no interesse de si mesmo. A própria personalidade se dissolve numa sucessão de estados sentimentais momentâneos, muitas vezes conflitantes. Para o observador, esse processo assume a forma de comportamentos diferentes e de afirmações clamorosamente contraditórias.

De fato, o pensamento, a outra função racional, é invariavelmente reprimido quando o sentimento é dominante. Nada perturba mais o sentimento do que o pensamento (e vice-versa, como vimos). Os tipos sentimentais não precisam pensar a respeito de quanto alguém ou algo lhes importa; eles simplesmente "sabem".

O tipo extrovertido sentimental pode pensar muito e ser, de fato, bastante inteligente, mas seu pensamento está sempre subordinado ao sentimento. Por essa razão, as conclusões lógicas, os processos de pensamento que poderiam perturbar o sentimento são imediatamente rejeitados. "Tudo o que se adapta aos valores objetivos", escreve Jung, "é bom, é adorável, e tudo o mais parece [...] pertencer a um mundo à parte."[23]

---

[23] *Ibidem*, par. 598.

```
                SENTIMENTO EXTROVERTIDO
                    (Função Dominante)

    INTUIÇÃO                              SENSAÇÃO
 (Função Auxiliar)                     (Função Auxiliar)

                SENTIMENTO INTROVERTIDO
                    (Função Inferior)
```

No caso extremo, a atitude compensatória e saudável do inconsciente transforma-se em franca oposição; a princípio, isso se revela por meio de extravagantes manifestações de sentimento – conversas efusivas, declarações apaixonadas etc. – que parecem pretender esboçar conclusões lógicas que são incompatíveis com o sentimento "exigido" no momento.

> Apesar de o pensamento do tipo sentimental extrovertido ser reprimido como uma função independente, essa repressão não é total [...]. Ela permite sua existência enquanto um servo do sentimento, ou melhor, como seu escravo [...]. Portanto, o inconsciente desse tipo contém, antes de tudo, uma espécie peculiar de pensamento, um pensamento infantil, arcaico, negativo. Desde que o sentimento consciente preserve sua qualidade pessoal, ou, em outras

palavras, desde que a personalidade não seja tragada através de sucessivos estados sentimentais, o pensamento inconsciente continuará sendo compensatório.[24]

Contudo, quando a personalidade se dissolve numa sucessão de estados sentimentais contraditórios, perde-se a identidade do ego e o sujeito mergulha no inconsciente. Quanto mais forte for o sentimento consciente, mais forte será a oposição inconsciente. E, assim, "essa espécie peculiar de pensamento consegue seu direito", escreve Jung, "desde que ele, efetivamente, despotencialize todos os sentimentos ligados ao objeto".[25]

As pessoas desse tipo têm, às vezes, os pensamentos mais negativos e apologéticos acerca das pessoas que lhes são mais valiosas. De fato, a presença de tal pensamento, normalmente adormecido em seu íntimo, é uma das principais indicações de que o sentimento extrovertido é a função dominante.

Von Franz salienta que tais pensamentos são tipicamente baseados numa visão extremamente cética da vida; além disso, costumam se voltar para o interior:

> No fundo, ele se permite pensar que é um ninguém, que sua vida é desprezível e que todas as outras pessoas poderiam se desenvolver e progredir no caminho da individuação,

---

[24] *Ibidem*, par. 600.
[25] *Idem*.

exceto ele próprio. Esses pensamentos habitam o lado oculto de sua mente e, de vez em quando, quando ele está deprimido ou em situação financeira difícil, ou especialmente quando se retrai, isto é, quando fica sozinho por alguns instantes, essa coisa negativa sussurra-lhe ao ouvido: "Você não é nada, tudo o que você faz é errado".[26]

O TIPO EXTROVERTIDO SENSITIVO

A sensação extrovertida é, de modo preeminente, orientada para a realidade objetiva. Como uma maneira de perceber através dos sentidos físicos, a função da sensação, quer seja introvertida ou extrovertida, depende naturalmente de objetos. Contudo, como veremos no caso da sensação introvertida, ela também pode estar subjetivamente orientada em direção ao que é percebido objetivamente.

Na sensação extrovertida, o componente subjetivo encontra-se inibido ou reprimido. A reação ao objeto é condicionada *pelo* objeto. Quando o indivíduo age habitualmente desse modo, temos um tipo sensitivo extrovertido.

Esse tipo procurará aqueles objetos – sejam pessoas ou situações – que lhe provoquem as mais fortes sensações. O resultado será um poderoso vínculo sensual com o mundo exterior.

---

[26] *Jung's Typology*, p. 45.

Os objetos são valiosos enquanto provocam sensações e, enquanto tiverem esse poder, serão plenamente aceitos na consciência, sejam ou não compatíveis com os julgamentos racionais. O único critério de seu valor é a intensidade da sensação produzida pelas suas qualidades objetivas [...]. Contudo, para o extrovertido, as sensações são apenas provocadas pelos objetos ou processos concretos, percebidos através dos sentidos; aqueles que qualquer pessoa, em qualquer lugar, perceberia como algo real. Desse modo, a orientação de tal indivíduo corresponde à realidade meramente sensual.[27]

Embora tais pessoas tenham pouca paciência, ou pouca compreensão, em relação à realidade abstrata, sua percepção dos fatos objetivos é por demais desenvolvida. Eles são verdadeiros mestres nas pequenas coisas da vida. Podem decifrar mapas, orientar-se numa cidade estranha; seus aposentos são limpos e bem arranjados; não se esquecem de seus compromissos e são pontuais; não perdem chaves; lembram-se de desligar o fogão e não deixam as luzes acesas à noite. Podemos encontrá-los entre os engenheiros, os editores, os atletas e os homens de negócio.

Os tipos extrovertidos sensitivos dedicam muita atenção às circunstâncias exteriores da vida. Estão sempre a par da moda e gostam de se apresentar impecavelmente vestidos; sabem como

---

[27] *Psychological Types*, CW 6, par. 605.

prover uma boa mesa com fartura de bom vinho e cercam-se de objetos requintados e de gente bonita. Adoram festas e esportes movimentados, reuniões e comitês.

São o tipo de pessoas que escalam o monte Everest "porque ele está ali". Os que não compartilham de suas predileções tipológicas são considerados enfadonhos e tímidos.

Em síntese, esse tipo é orientado para um prazer concreto – para a "vida real" plenamente vivida.

> Sentir o objeto, ter sensações e, se possível, desfrutá-las – este é o seu objetivo constante. Ele não é, de modo algum, desagradável; ao contrário, sua vigorosa disposição para o prazer faz com que ele seja uma boa companhia; geralmente, é um companheiro alegre e, às vezes, um esteta refinado [...]. As conjecturas que transcendem a realidade só são admitidas com a condição de que tornem mais intensa a sensação. Essa intensificação não precisa ser, necessariamente, agradável, pois esse tipo não precisa ser um indivíduo voluptuoso comum; ele apenas deseja sensações mais fortes e estas, por sua própria natureza, ele só poderá receber do mundo exterior.[28]

O ideal dos tipos extrovertidos sensitivos consiste em se adaptar muito bem à realidade, às coisas como elas são – como

---

[28] *Ibidem*, par. 607.

eles as veem e as vivenciam. Seu amor depende, irrevogavelmente, dos atrativos físicos da pessoa amada. Os pensamentos, os sentimentos ou as vontades de seus parceiros poderão despertar neles pouco ou mesmo nenhum interesse – mas eles notarão e comentarão detalhes que aos outros tipos passam despercebidos: um novo penteado, o corte de um terno ou vestido, o modelo dos brincos, a marca de uma loção pós-barba.

Eles também podem ser excelentes amantes, visto que seu sentido do tato está naturalmente em sintonia com o corpo do parceiro.

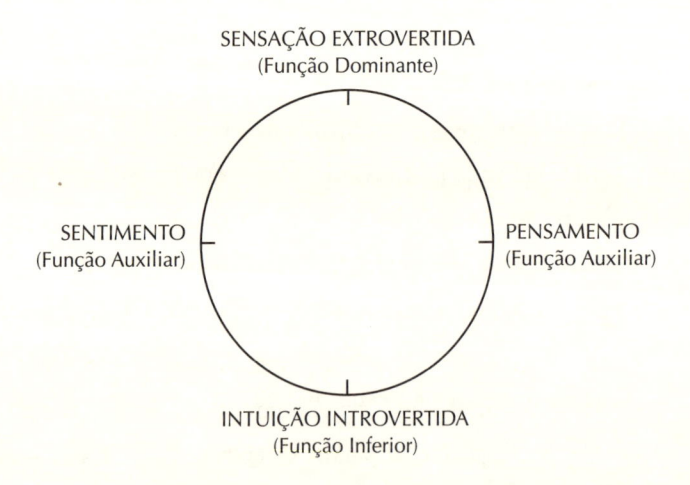

```
            SENSAÇÃO EXTROVERTIDA
              (Função Dominante)

   SENTIMENTO                    PENSAMENTO
 (Função Auxiliar)              (Função Auxiliar)

            INTUIÇÃO INTROVERTIDA
               (Função Inferior)
```

O calcanhar de Aquiles desse tipo é a intuição introvertida. O que não é fatual, o que não pode ser visto, ouvido, tocado ou cheirado, é automaticamente suspeito. Qualquer coisa que procede do mundo interior parece-lhe doentio. Eles só se sentem à vontade no âmbito da realidade tangível. Seus pensamentos e sentimentos serão explicados por meio de causas objetivas ou pela influência de outros. Uma alteração do estado de espírito será instantaneamente imputada ao tempo. Os conflitos psíquicos são irreais – não passam de imaginação –, uma situação doentia que se desvanecerá tão logo estejam rodeados de amigos.

No interior do indivíduo, a intuição inferior manifesta-se por meio de pressentimentos negativos, de pensamentos de desconfiança, de possibilidades de desgraça, de ideias sombrias etc. Von Franz compara a intuição inferior a "um cão farejando uma lata de lixo".[29]

Os traços mais desagradáveis desse tipo emergem até o ponto em que a busca de sensação torna-se a sua única preocupação. Em casos extremos, eles se tornam voluptuosos e brutais, estetas inescrupulosos, hedonistas vulgares. Jung descreve esse processo num homem:

> Embora o objeto ainda lhe seja totalmente indispensável, enquanto algo que existe por si só, ele é, não obstante, desvalorizado. Ele é cruelmente explorado e friamente oprimido, já que, a partir de então, sua única função é estimular a sensação. A sujeição ao objeto é levada ao limite máximo. Consequentemente, o inconsciente é obrigado a abandonar seu papel compensatório e a agir em

---

[29] *Jung's Typology*, p. 24.

franca oposição. As intuições reprimidas, sobretudo, começam a reivindicar seus direitos em forma de projeções.[30]

A projeção, aqui, provocará as mais desvairadas suspeitas, desconfianças e estados de ansiedade, sobretudo se a sexualidade estiver envolvida. A origem desses sintomas são as funções inferiores reprimidas, e são todos dignos de nota, visto que se baseiam tipicamente nas mais absurdas suposições, em total contraste com a percepção consciente da realidade do tipo extrovertido sensitivo e com sua atitude geralmente descontraída.

> Os casos mais agudos provocam toda sorte de fobias e, em particular, sintomas de compulsão. Os conteúdos patológicos têm um caráter acentuadamente irreal, com frequentes traços morais e religiosos [...] ou uma moralidade grotescamente escrupulosa combinada com superstições primitivas, "mágicas", que recorrem a fatos abstrusos [...]. Toda a estrutura do pensamento e do sentimento parece trançada dentro de uma paródia patológica: a razão recorre a um pedantismo excessivamente sutil; a moralidade adota um farisaísmo moralizante, fantasista e espalhafatoso; a religião converte-se em ridícula superstição, e a intuição – o dom mais nobre do homem –, numa oficiosidade intrometida que mete o nariz em todas as coisas; em vez

---

[30] *Psychological Types*, CW 6, par. 608.

de contemplar de uma boa distância, ela desce ao nível mais inferior da mesquinhez humana.[31]

Portanto, quando qualquer uma das funções atinge um grau de unilateralidade anormal, há sempre o perigo de que a consciência seja subjugada pelo inconsciente.

Sem dúvida, a situação psicológica pode tornar-se patológica apenas de maneira casual. Na maioria dos casos, a função inferior compensada simplesmente empresta à personalidade um ar de encantadora inconsistência. Nesse tipo, por exemplo, a intuição introvertida é observada por meio de uma ligação singela aos movimentos religiosos, de um interesse infantil pelas ciências ocultas ou por súbitos vislumbres espirituais.

O TIPO EXTROVERTIDO INTUITIVO

A intuição é a função da percepção inconsciente. Na atitude extrovertida, os objetos externos condicionam e orientam a intuição. Quando esse modo de funcionamento predomina, podemos falar de um tipo extrovertido intuitivo. Jung escreve:

> A função intuitiva é representada na consciência por uma atitude de expectativa, pela visão e pela perspicácia; mas somente a partir do resultado subsequente pode-se

---

[31] *Ibidem*, pars. 608ss.

estabelecer quanto do que foi "visto" estava realmente no objeto e quanto foi "lido" nele. Tal como a sensação, quando ela é a função dominante, não se trata de um mero processo reativo que nada adiciona ao objeto, mas de uma atividade que apreende e molda seu objeto; desse modo, a intuição não é mera percepção ou visão, mas um processo ativo e criativo que interfere no objeto e procura extrair deste o máximo possível. Já que esse processo é inconsciente, ele também exerce um efeito inconsciente sobre o objeto.[32]

A finalidade principal da intuição é perceber aspectos do mundo que não são apreendidos pelas outras funções. A intuição é como um sexto sentido, que "vê" aquilo que não está efetivamente presente. Os pensamentos intuitivos vêm de maneira inesperada, sob a forma de pressentimentos ou de suposições, por assim dizer.

No extrovertido, no qual a intuição se dirige para as coisas e para as outras pessoas, há uma faculdade extraordinária de perceber aquilo que está ocorrendo nos bastidores, sob as aparências; ela "vê através" da camada exterior. Onde a percepção comparativamente mundana do tipo sensitivo vê "uma coisa" ou "uma pessoa", o intuitivo vê a sua alma.

---

[32] *Ibidem*, par. 610.

Quando a intuição é dominante, o pensamento e o sentimento serão mais ou menos reprimidos, enquanto a sensação – a outra função irracional, porém sintonizada com a realidade física – será mais inacessível à consciência.

> A sensação é um obstáculo à percepção clara, imparcial e simples; seus estímulos sensoriais intrusos dirigem a atenção para o aspecto exterior físico, para os objetos, em redor e além dos quais a intuição tenta perscrutar [...]. [O intuitivo] tem sensações, é claro, mas não se deixa guiar por elas; usa-as meramente como ponto de partida para suas percepções. Ele as seleciona de acordo com suas predileções conscientes.[33]

```
                INTUIÇÃO EXTROVERTIDA
                  (Função Dominante)

    SENTIMENTO                      PENSAMENTO
  (Função Auxiliar)               (Função Auxiliar)

                SENSAÇÃO INTROVERTIDA
                   (Função Inferior)
```

---

[33] *Ibidem*, par. 611.

Onde a sensação extrovertida busca o mais elevado grau de realismo físico, a intuição extrovertida empenha-se em apreender o máximo de possibilidades inerentes a uma situação objetiva. Para aquela, um objeto é simplesmente um objeto; enquanto a intuição extrovertida vai muito além da sua aparência exterior e interessa-se pelo que poderia ser feito com ele, como ele poderia ser usado.

Um homem de negócios, um tipo sensitivo, pediu a um amigo, um artista intuitivo, que desenhasse um logotipo para sua nova empresa, que se chamava Belltower Enterprise. O artista apresentou-lhe o seguinte desenho:

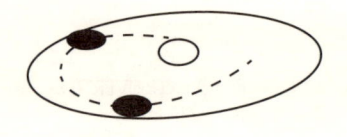

"O que é isso?", indagou o tipo sensitivo, sinceramente desconcertado. Ele via apenas três formas ovaladas, ligadas por linhas descontínuas. "Você não vê", explicou o intuitivo, "a linha tracejada indica o movimento do badalo dos sinos, quando tocam."

A diferença entre os dois continua igualmente notável quando ambos entram numa casa vazia. O tipo sensitivo vê as paredes nuas, os batentes gastos das janelas, os assoalhos sujos. O intuitivo vê, antes, o que pode ser feito com o espaço – as paredes pintadas em suave tom pastel, os quadros em seus devidos lugares, os pisos bem polidos e lustrosos, as janelas limpas, cortinas, e até mesmo a disposição da mobília.

Os tipos sensitivos veem apenas o que está à sua frente. Os intuitivos veem a mesma cena transformada, como numa visão interior, como se a casa já estivesse mobiliada e completamente redecorada. Nada disso é acessível à função da sensação, que vê meramente o que existe aqui e agora. Por isso mesmo, o tipo sensitivo fará muito bem em levar consigo um intuitivo quando quiser adquirir uma casa. Naturalmente, a recíproca também é verdadeira, pois enquanto o intuitivo está fascinado pelas possibilidades, o tipo sensitivo verifica se não há umidade se infiltrando no alicerce, vistoria os encanamentos, a quantidade de conectores, calcula a distância até a escola mais próxima etc.

O intuitivo extrovertido está constantemente à espreita de novas oportunidades, de novas conquistas. As situações presentes não lhe roubam o interesse por muito tempo, pois ele entedia-se rapidamente com "as coisas como elas são". A intuição pode descortinar novas possibilidades, mas para pô-las em prática é necessária a capacidade de concentração da sensação e do pensamento.

> Em virtude de a intuição extrovertida ser orientada pelo objeto, há uma acentuada dependência em relação a situações externas, mas esta é completamente diferente da dependência do tipo sensitivo. O intuitivo jamais participa do mundo dos valores preconcebidos a respeito da realidade, mas tem um faro aguçado para qualquer coisa nova

em desenvolvimento. Por estar sempre em busca de novas possibilidades, as situações estáveis o sufocam [...]. Portanto, enquanto houver ao menos uma nova possibilidade, o intuitivo estará, como se impelido pela força do destino, inteiramente voltado para ela.[34]

O principal dilema dos extrovertidos intuitivos é que as próprias situações, que aparentemente prometem liberdade e excitação, uma vez examinadas suas possibilidades, rapidamente conduzem a uma sensação de aprisionamento. É difícil aterem-se a alguma coisa durante algum tempo, por menor que seja. Tão logo pressentem a inexistência de futuros desenvolvimentos, eles a abandonarão e procurarão alguma outra coisa.

Nesse tipo, particularmente, ocorre uma visível deficiência de julgamento, pois o bom julgamento provém de uma função do pensamento, ou do sentimento, bem desenvolvida. Mas os intuitivos extremos não são influenciados por pensamentos ou sentimentos – nem pelos seus, nem pelos dos outros. À medida que sua visão é a única coisa que importa, tudo o mais lhes é indiferente. Os outros poderão acusá-los de insensíveis e de exploradores quando, na realidade, eles estão apenas sendo demasiado e unilateralmente verdadeiros com relação à sua tipologia.

Tais pessoas são, não obstante, indispensáveis em áreas culturais e econômicas. Seus talentos peculiares habilitam-nas ao

---

[34] *Ibidem*, par. 613.

exercício de profissões nas quais a capacidade de descortinar possibilidades em situações exteriores é de grande valor. Pode-se encontrá-los entre capitães de indústria, empresários inovadores, corretores de valores, estadistas imaginativos etc. Na esfera social, demonstram uma fantástica habilidade de fazer as relações "certas".

Quando a orientação desse tipo é mais dirigida a pessoas do que a coisas, eles revelam uma habilidade excepcional em diagnosticar aptidões potenciais. Por isso, frequentemente ressaltam o que há de melhor nos outros, e podem ser fantásticos casamenteiros. São também campeões naturais das minorias (daquelas que têm futuro) e possuem uma incomparável capacidade de despertar entusiasmo por qualquer coisa nova – embora eles próprios possam mostrar-se indiferentes a ela no dia seguinte.

O extrovertido intuitivo que volta sua atenção para o trabalho de artistas criativos está psicologicamente bem provido para captar suas possibilidades comerciais e fazer algo a respeito. Von Franz comenta:

> As próprias pessoas criativas são introvertidas e estão tão ocupadas com suas criações que não podem dedicar-se à divulgação de suas obras. Seu trabalho absorve de tal modo suas energias, que não podem se preocupar com o modo de apresentá-lo ao mundo, como divulgá-lo etc. […]. Então, com muita frequência, acontece de o extrovertido intuitivo vir em seu auxílio. Mas, naturalmente, se fizer isso por toda a vida, começará a projetar sua própria

> habilidade criativa inferior no artista, e acabará se perdendo. Mais cedo ou mais tarde, tais pessoas precisam [...] dedicar-se à sua própria sensação inferior e ao que dela poderia ser extraído.[35]

O grande perigo dos extrovertidos intuitivos consiste em empregar seu tempo e sua energia em possibilidades, particularmente nas dos outros, e nunca realizar alguma coisa de sua própria autoria. Eles não conseguem firmar-se em nada; começam coisas novas, mas perdem o interesse em concluí-las. Por essa razão, com frequência são considerados aventureiros frívolos ou displicentes. Eles têm uma visão do que poderia ser, mas não conseguem dar-se ao trabalho de levá-lo a cabo. São tipicamente capazes de levantar um negócio e deixá-lo a um passo do sucesso; por essa razão, muitas vezes outras pessoas colhem os frutos que eles semearam.

Quanto mais radical for esse tipo – quanto mais o seu ego se identificar com todas as possibilidades imagináveis – mais o inconsciente se tornará ativo, em função da compensação.

> O inconsciente do intuitivo possui alguma semelhança com o do tipo sensitivo. O pensamento e o sentimento, bastante reprimidos, têm características infantis e arcaicas, semelhantes àquelas do tipo oposto. Eles assumem a forma

---

[35] *Jung's Typology*, p. 31.

de intensas projeções que são tão absurdas quanto [aquelas do tipo sensitivo], embora pareça faltar-lhes o caráter "mágico" destas últimas e estejam preocupados, sobretudo, com as meias-verdades, tais como desconfianças sexuais, riscos financeiros, pressentimentos de doenças etc.[36]

Entre os outros sintomas patológicos desse tipo estão as fobias neuróticas e um vínculo inconsciente e compulsivo com a sensação provocada pelo objeto, quer se trate de outra pessoa ou de bens materiais.

Além disso, visto que a sensação introvertida é, nesse caso, a função mais inferior, geralmente ocorre uma acentuada ruptura entre a consciência e o corpo físico. Até mesmo os extrovertidos intuitivos "normais" tendem a dedicar muito pouca atenção às suas necessidades físicas. Eles simplesmente não percebem, por exemplo, quando estão cansados ou famintos. Essa negligência do sujeito eventualmente terá sua cobrança por meio de toda sorte de doenças físicas, reais ou imaginárias.

Uma das manifestações mais comuns, e relativamente inofensiva, da compensação da função inferior nesse tipo pode ser observada na atenção exagerada dada ao corpo, à higiene pessoal, aos exercícios físicos da moda, aos alimentos saudáveis etc.

---

[36] *Psychological Types*, CW 6, par. 615.

Capítulo 3

A INTROVERSÃO E AS QUATRO FUNÇÕES

A ATITUDE INTROVERTIDA

Ao contrário da extroversão, que se refere fundamentalmente ao objeto e aos dados originados no mundo exterior, a introversão distingue-se principalmente por encontrar sua orientação em fatores interiores pessoais.

> Uma pessoa desse tipo talvez dissesse: "Sei que poderia dar um imenso prazer a meu pai se agisse assim e assim, mas acontece que eu não penso dessa maneira". Ou: "O tempo parou, mas, mesmo assim, continuarei com meus planos". Esse tipo não viaja por prazer, mas para executar uma ideia preconcebida [...]. A cada passo, a aprovação do sujeito precisa ser obtida e, sem ela,

nada pode ser empreendido ou realizado. Uma pessoa assim teria respondido a Santo Agostinho (ver p. 57): "Eu acreditaria no Evangelho se a autoridade da Igreja Católica *não* me obrigasse a tanto." Esse tipo precisa sempre provar que tudo o que ele faz baseia-se em suas próprias decisões e convicções, e nunca por ter sido influenciado por alguém ou por ter desejado agradar ou conquistar alguma pessoa ou alguma opinião.[1]

Naturalmente, uma consciência introvertida pode estar muito bem a par das condições externas, mas os determinantes subjetivos são decisivos na qualidade da força motivadora. Enquanto o extrovertido reage ao que chega ao sujeito proveniente do objeto (realidade exterior), o introvertido se relaciona sobretudo com as impressões provocadas pelo objeto no sujeito (realidade interior).

Jung é particularmente rude ao descrever as características desse tipo:

> O introvertido não é acessível; ele se comporta como se estivesse em contínuo recuo diante do objeto. Ele se mantém distante dos acontecimentos externos, não participa deles e, ao sentar-se no meio de muitas pessoas, manifestará uma nítida aversão ao convívio social. No meio da

---

[1] *Psychological Types*, CW 6, par. 893.

multidão, ele se sente solitário e perdido. Quanto maior a aglomeração, mais acirrada será sua resistência. Ele não está, de modo algum, "com ela", e não tem nenhuma simpatia por reuniões entusiásticas. O introvertido não é uma pessoa muito sociável. Tudo o que faz, o faz à sua maneira, protegendo-se contra as influências do mundo exterior [...]. Ele é bem desconfiado, obstinado, frequentemente sujeito a sentimentos de inferioridade e, por isso, também é invejoso. Ele enfrenta o mundo com um elaborado sistema defensivo, cujos componentes são: escrupulosidade, pedantismo, frugalidade, precaução, consciência angustiada, probidade inabalável, polidez e uma perspicaz desconfiança [...]. Geralmente, é pessimista e inquieto, porque o mundo e os seres humanos não são nada bons e o oprimem [...].

Seu mundo particular é um abrigo seguro, um jardim protegido com muros e cuidadosamente cultivado, fechado ao público e a salvo dos olhares curiosos. Seu melhor companheiro é ele próprio.[2]

Não é de admirar que a atitude introvertida seja muitas vezes considerada autoerótica, egocêntrica, egotista e até mesmo doentia. Contudo, na opinião de Jung, isso simplesmente espelha o

---

[2] *Ibidem*, pars. 976s.

preconceito normal da atitude extrovertida que, por definição, está convencida da superioridade do objeto.

> Não devemos esquecer – embora o extrovertido seja por demais propenso a fazê-lo – que a percepção e a cognição não são totalmente objetivas, mas também condicionadas de maneira subjetiva. O mundo não existe apenas em si mesmo, mas também enquanto se apresenta para mim [...]. Pelo fato de superestimarmos nossa capacidade de cognição objetiva, suprimimos a importância do fator subjetivo.[3]

Por "fator subjetivo", Jung entende "aquela ação ou reação psicológica que se funde ao efeito produzido pelo objeto, dando origem, assim, a um novo dado psíquico".[4] Por exemplo, costumava-se pensar que o assim chamado método científico era completamente objetivo, mas se reconhece agora que a observação e a interpretação de qualquer tipo de dados são influenciadas pela atitude subjetiva do observador, o que necessariamente envolve não só suas expectativas, mas também sua predisposição psicológica.[5]

Jung assinala que o nosso conhecimento do passado depende das reações subjetivas daqueles que vivenciaram e descreveram

---

[3] *Ibidem*, par. 621.

[4] *Ibidem*, par. 622.

[5] Ver, por exemplo, Fritjof Capra, *The Tao of Physics* (Nova York: Bantam Books, 1984). [*O Tao da Física*. 28. ed. São Paulo: Cultrix, 2011.]

o que estava acontecendo ao seu redor.[6] Nesse sentido, a subjetividade é uma realidade tão firmemente baseada na tradição e na experiência como o é a orientação voltada para o mundo objetivo. Em outras palavras, a introversão não é menos "normal" que a extroversão.

Ambas, é claro, são relativas. Onde o extrovertido vê o introvertido como uma pessoa insociável, incapaz ou não interessada em adaptar-se ao mundo "real", o introvertido julga o extrovertido como um ser superficial, carente de profundidade interior. Ambas as opiniões têm lá sua parcela de razão, já que cada um deles possui sua força e suas fraquezas.

Um dos sinais de introversão numa criança, observa Jung, "é a conduta reflexiva, ponderada, uma acentuada desconfiança e mesmo medo de objetos desconhecidos".

> A tendência de firmar-se sobre os objetos familiares e as tentativas de dominá-los manifestam-se desde muito cedo. Todas as coisas desconhecidas são consideradas com desconfiança; as influências externas são geralmente enfrentadas com violenta resistência. A criança possui uma maneira própria de agir e sob nenhuma circunstância submeter-se-á a uma regra estranha, que não possa compreender. Quando faz perguntas, não é por curiosidade ou desejo de provocar uma sensação, mas porque ela precisa

---

[6] *Psychological Types*, CW 6, par. 622.

de nomes, de significados, de explicações que lhe forneçam uma proteção subjetiva diante do objeto. Conheci uma criança introvertida que só fez suas primeiras tentativas para caminhar depois de ter aprendido os nomes de todos os objetos da sala que estavam ao seu alcance.[7]

Essa espécie de ação apotropeica – uma despotencialização "mágica" do objeto – também é uma característica da atitude introvertida no adulto. Há uma acentuada tendência para desvalorizar as coisas e as outras pessoas, em negar sua importância. O objeto, que desempenha um papel decisivo na atitude extrovertida, significa muito pouco para o introvertido.

À medida que a consciência é subjetivada e que uma excessiva importância é atribuída ao ego, surge, naturalmente, à guisa de compensação, um reforço inconsciente da influência do objeto. Isso se faz sentir, escreve Jung, "como um vínculo absoluto e irrepressível do ego ao objeto":

> Quanto mais o ego se esforça para preservar sua independência, sua libertação da obrigação e sua superioridade, mais se torna escravo dos dados objetivos. A autonomia da mente do indivíduo é limitada pela ignomínia de sua dependência financeira; sua liberdade de ação vacila diante da opinião pública, sua superioridade moral sucumbe num

---

[7] *Ibidem*, par. 897.

atoleiro de relacionamentos medíocres. Seu desejo de dominar termina numa deplorável ânsia de ser amado. A partir de então, é o inconsciente que se encarrega da relação com o objeto, e o faz de um modo calculado a fim de levar a ilusão de poder e a fantasia de superioridade à completa ruína.[8]

Uma pessoa nessa situação psicológica pode se desgastar com medidas de defesa (a fim de preservar a ilusão de superioridade), enquanto elabora infrutíferas tentativas no sentido de fazer valer seus direitos – de impor sua vontade sobre o objeto. "Ele tem medo das paixões intensas", escreve Jung, "e dificilmente consegue se libertar do medo de ser submetido a influências hostis."[9]

Naturalmente, isso requer grande quantidade de energia. A fim de prosseguir, o introvertido precisa o tempo todo de um enorme esforço interior. Por essa razão, ele é particularmente propenso à psicastenia – "uma doença", observa Jung, "que se caracteriza, por um lado, por uma extrema sensibilidade e, por outro, por uma grande propensão à exaustão e à fadiga crônica".[10]

Em casos menos extremos, os introvertidos são simplesmente mais ou menos conservadores: poupam suas energias e preferem estabelecer-se a correr de um lado para outro. Contudo, devido

---

[8] *Ibidem*, par. 626.

[9] *Ibidem*, par. 627.

[10] *Ibidem*, par. 626.

à habitual orientação subjetiva, também pode ocorrer uma visível inflação do ego, unida a uma poderosa força motriz inconsciente.

Embora Jung reconhecesse as "peculiaridades" do introvertido, especialmente quando julgado pela atitude extrovertida, ele também salientou que o introvertido "não é, de modo algum, inútil à comunidade. Seu retraimento não é uma renúncia definitiva ao mundo, mas uma busca de quietude. Aí, sozinho, ser-lhe-á possível contribuir para a vida da comunidade".[11]

Além disso, enquanto o extrovertido tende a evitar a introspecção, as "autocomunhões", escreve Jung, são um prazer para o introvertido:

> Em seu mundo, ele se sente em casa. As únicas mudanças que ocorrem são as que ele próprio promove. Sua melhor obra é feita com seus próprios recursos, por meio de sua própria iniciativa e ao seu modo. E se algum dia tiver êxito, após prolongados e muitas vezes exaustivos esforços, em assimilar alguma coisa de natureza diversa da sua, ele será capaz de extrair disso excelentes proveitos.[12]

O TIPO INTROVERTIDO REFLEXIVO

O pensamento, na atitude introvertida, é orientado fundamentalmente pelo fator subjetivo. Quer o processo reflexivo se

---

[11] *Ibidem*, par. 979.

[12] *Ibidem*, par. 977.

concentre em objetos concretos ou abstratos, sua motivação é interior. O introvertido reflexivo não depende nem da experiência imediata nem das ideias tradicionais geralmente aceitas; ele não é menos (nem mais) lógico que o extrovertido reflexivo, mas não é motivado pela realidade objetiva, nem tampouco orientado para esta.

> Tal pensamento [escreve Jung] não se origina dos fatos exteriores, nem a estes se dirige, muito embora o introvertido frequentemente procure fazer com que seu pensamento tenha essa aparência. O pensamento começa pelo sujeito e leva de volta ao sujeito, muito embora ele possa percorrer o reino da realidade objetiva [...]. Ele formula questões e cria teorias, revela novas perspectivas e novas compreensões, mas quanto aos fatos, sua atitude é de total reserva [...]. O que lhe parece de máxima importância é o desenvolvimento e a apresentação da ideia subjetiva, da imagem simbólica inicial, que paira de maneira obscura diante da mente.[13]

Em outras palavras, enquanto o pensamento extrovertido procura conseguir primeiro os fatos para depois pensar a respeito deles, o pensamento introvertido preocupa-se em esclarecer as ideias, ou mesmo em elucidar o próprio processo mental, para

---

[13] *Ibidem*, par. 628.

somente então tratar (talvez) da sua aplicação prática. Ambos se distinguem por ordenar a vida; o primeiro, trabalhando de fora para dentro, e o segundo, de dentro para fora.

Os introvertidos reflexivos, sendo, por definição, não muito inclinados ao senso prático, tendem a ser teóricos. Seu objetivo é a intensidade e não a extensidade. Eles seguem suas ideias intimamente e não de forma pública. Von Franz descreve-os assim:

> No campo científico, estas são as pessoas que vivem tentando evitar que seus colegas se percam em experiências e que, de vez em quando, tentam voltar aos conceitos básicos e perguntar o que estamos de fato fazendo mentalmente. Em física, em geral há um professor de física prática e outro de física técnica: um leciona a respeito de Wilson Chamber e sobre o desenvolvimento das experiências; o outro, a respeito dos principais matemáticos e da teoria científica.[14]

Tal como os tipos extrovertidos reflexivos, os introvertidos reflexivos tornam-se bons redatores, embora possam inquietar-se, continuamente, para encontrar a palavra exata. Visto que seu processo de pensamento é lógico e sem rodeios, são admiráveis para preencher as lacunas do assim chamado pensamento lateral ou não linear – o salto de um pensamento para outro – que caracteriza o intuitivo. Como escritores, seu forte não é a

---

[14] *Lectures on Jung's Typology* (Zurique: Spring Publications, 1971), p. 41.

originalidade de conteúdo, mas, antes, a clareza e a precisão na organização e apresentação do material disponível.

Carente de uma orientação para os fatos exteriores, os tipos introvertidos reflexivos facilmente se perdem num mundo de fantasia. Sua orientação subjetiva pode persuadi-los a criar, em seu próprio benefício, teorias aparentemente baseadas na realidade, mas que, na verdade, estão vinculadas a uma imagem interior.

No caso extremo, essa imagem absorve totalmente sua atenção e afasta-os dos outros.

Como era de se esperar, esses tipos tendem a ser indiferentes às opiniões alheias. Assim como não são influenciados, também não tentam influenciar. Apresentarão sua avaliação lógica da realidade – tal como a veem – e não se importam, de qualquer modo, em saber como será recebida.

O ponto particularmente fraco desse tipo, sua função inferior, é o sentimento extrovertido. Estreitamente ligado a um mundo interior de pensamentos e ideais, estará sujeito a se esquecer das exigências objetivas de um relacionamento, por exemplo. Isso não quer dizer que essas pessoas não amem, mas sim que são simplesmente incapazes de saber como expressar esse sentimento. Seus sentimentos tendem a ser excêntricos – muitas vezes não sabem nem mesmo como se sentem –, mas, quando vêm à tona – geralmente contaminados pelo afeto – podem ser opressivos e incontroláveis. (É nessas ocasiões que se faz imperativo distinguir entre as reações emocionais e o sentimento como função psicológica.)

PENSAMENTO INTROVERTIDO
(Função Dominante)

SENSAÇÃO
(Função Auxiliar)

INTUIÇÃO
(Função Auxiliar)

SENTIMENTO EXTROVERTIDO
(Função Inferior)

Esse sentimento inconsciente pode ser uma agradável surpresa, mas também um incômodo quando se dirige a outra pessoa. Von Franz (um tipo reflexivo introvertido, como ela própria reconheceu) diz que o sentimento extrovertido inferior manifesta-se como uma espécie de "ligação pegajosa":

> Enquanto o tipo extrovertido reflexivo ama profundamente sua esposa, mas diz, como Rilke (ver p. 68): "Eu a amo, mas isso não é da sua conta", o sentimento do tipo introvertido reflexivo está vinculado aos objetos externos. Ele diria, portanto, no estilo de Rilke: "Eu a amo, e isso será da sua conta. Eu farei com que isso seja da sua conta!" [...].
> O sentimento inferior de ambos os tipos é pegajoso, e o tipo extrovertido reflexivo possui essa espécie de fidelidade não declarada, que pode durar eternamente. O

mesmo pode-se dizer do sentimento extrovertido do tipo introvertido reflexivo, excetuando-se o fato de que não será mantido em segredo [...]. Ele se assemelha à baba pegajosa que flui de uma pessoa vítima de um ataque epiléptico; possui aquela espécie de ligação pegajosa, semelhante à de um cachorro, a qual não é nada agradável, sobretudo para o ser amado. Poder-se-ia comparar o sentimento inferior de um tipo introvertido reflexivo ao fluxo da lava quente de um vulcão – ele avança, por hora, apenas 1,50 m, mas devasta tudo o que estiver no seu caminho.[15]

Não obstante, o sentimento extrovertido inferior pode ser totalmente sincero. Pelo fato de ser indiferenciado, ele é primitivo, mas desprovido de interesse – "tal como um cão abana sua cauda", escreve Von Franz.[16]

Tal pessoa é, naturalmente, muito vulnerável ao objeto amado. No filme *O Anjo Azul*, um professor de meia-idade apaixona-se por uma jovem dançarina de cabaré, uma *vamp* sedutora que faz com que ele interprete um palhaço que apresenta o seu número. Ele a ama tanto que abandona a vida acadêmica e acaba completamente arruinado. Eis um bom exemplo da fidelidade do sentimento inferior, mas também do seu mau gosto.

O introvertido reflexivo, como foi mencionado acima, tende antes a se envolver com imagens interiores do que com fatos

---

[15] *Ibidem*, p. 43.

[16] *Idem*.

exteriores. Em *O Anjo Azul*, por exemplo, o professor não é influenciado pela realidade objetiva da dançarina absolutamente vulgar que o fascina. Na verdade, ela tenta afastá-lo daquele lugar, procura fazer com que ele desista, mas, com sua orientação introvertida, ele não consegue ver outra coisa senão a imagem dela que ele próprio projetou; ele a vê como algo ideal, e nada que ela faça ou diga terá algum efeito.

O modo inverso pelo qual o sentimento extrovertido inferior se manifesta tipicamente ocorre quando os outros são desvalorizados e "não são vistos". Observa Jung:

> A característica mais marcante [do tipo extrovertido reflexivo], ou seja, sua intensa relação com os objetos, é praticamente inexistente [no tipo introvertido reflexivo] [...]. Se o objeto é uma pessoa, essa pessoa tem um sentimento distinto que só lhe importa de maneira negativa; em casos mais moderados, ele simplesmente admite, com indiferença, a existência da outra pessoa, mas, num caso extremo, ele se desvia dessa pessoa, como se ela fosse um elemento nocivo, definitivamente perturbador. Essa relação negativa com o objeto, que vai da indiferença à aversão, caracteriza todos os introvertidos e torna sua descrição excessivamente difícil. Todas as coisas relacionadas com esse tipo tendem a desaparecer e a permanecer ocultas.[17]

---

[17] *Psychological Types*, CW 6, par. 633.

Eventuais conhecidos de introvertidos reflexivos poderão achá-los frios e arrogantes, mas os que apreciam uma mente perspicaz tendem a tê-los em alta estima. Na perseguição de suas ideias, eles em geral são teimosos e nada sujeitos a influências. Isso contrasta fortemente com o fato de serem sugestionáveis acerca de assuntos pessoais; de modo geral, são ingênuos e crédulos e, assim, os outros podem facilmente aproveitar-se deles.

Pelo fato de prestar muito pouca atenção à realidade exterior, esse tipo é o proverbial "professor distraído", "o tipo esquecido", que, aliás, pode ser bastante encantador. Porém, esse encanto diminui à medida que se tornam cada vez mais voltados para suas próprias ideias ou imagens interiores. Suas convicções tornam-se, a partir de então, rígidas e inflexíveis, e seus julgamentos, frios, implacáveis e arbitrários. No caso extremo, podem perder toda a conexão com a realidade objetiva, ficando, assim, isolados dos amigos, da família e dos colegas.

Esta é a diferença entre os graus extremos do pensamento introvertido e do pensamento extrovertido. "Enquanto o último decai ao nível de uma mera representação dos fatos", escreve Jung, "o primeiro perde-se numa representação do irrepresentável, muito além de tudo o que poderia ser expresso através de uma imagem."[18]

Em ambos os casos, o posterior desenvolvimento psicológico é reprimido, e o processo reflexivo, geralmente positivo, é invadido

---

[18] *Ibidem*, par. 630.

pelos efeitos inconscientes das outras funções – a sensação, a intuição e o sentimento. Normalmente, elas constituem uma saudável compensação da unilateralidade do pensamento. No caso extremo, quando a consciência resiste a essa influência compensatória, a personalidade é distorcida pelo afeto negativo e primitivo: amargura, hipersensibilidade e misantropia.

O TIPO INTROVERTIDO SENTIMENTAL

O sentimento, na atitude introvertida, é determinado sobretudo pelo fator subjetivo. No seu desinteresse com relação ao objeto, é tão diferente do sentimento extrovertido como o é o pensamento introvertido em relação ao pensamento do extrovertido.

É difícil compreender esse tipo, pois seu aspecto exterior nos revela muito pouco. De acordo com Jung, a expressão "As águas paradas são profundas" aplica-se a tais pessoas.[19] Pelo fato de serem unilaterais, dão a impressão de não possuírem nenhum sentimento ou pensamento. Será fácil confundi-las, por um lado, com pessoas frias ou indiferentes e, por outro, com pessoas estúpidas.

Jung descreve o propósito do sentimento introvertido: "ele não se adapta ao objeto, mas, numa tentativa inconsciente, sujeita-o a fim de compreender as imagens subjacentes":

---

[19] *Ibidem*, par. 640.

> Ele busca continuamente uma imagem que não existe na realidade, mas que observa através de uma espécie de visão. Ele passa negligentemente pelos objetos que não se adaptam ao seu objetivo. Esforça-se por obter intensidade interior, para a qual os objetos servem, quando muito, como um estímulo. A profundidade desse sentimento só pode ser imaginada – ele nunca pode ser claramente compreendido. Ele torna as pessoas reservadas e de difícil acesso; retrai-se, como uma violeta, diante da natureza bruta do objeto, a fim de preencher as profundezas do sujeito. Manifesta-se por meio de juízos negativos, ou assume um ar de profunda indiferença, como uma forma de defesa.[20]

Tudo o que é verdadeiro acerca do pensamento introvertido também é válido para o sentimento introvertido, exceto que, no primeiro caso, tudo é pensado e, no último, tudo é sentido. Ambos estão mais orientados para as imagens interiores do que para os fatos exteriores. No introvertido reflexivo, as imagens estão vinculadas aos pensamentos e aos ideais; no tipo introvertido sentimental, as imagens se manifestam como valores.

Uma vez que a introversão desse tipo inibe a expressão externa, tais pessoas raramente são sinceras a respeito do que sentem. Contudo, seu sistema de valor subjetivo, observa Von

---

[20] *Ibidem*, par. 638.

Franz, geralmente exerce "uma misteriosa influência positiva em seu meio":

> Por exemplo, os tipos introvertidos sentimentais muitas vezes constituem a espinha dorsal ética de um grupo; sem irritar os outros com pregações a respeito de preceitos éticos ou morais, eles próprios exibem um sistema de valores éticos tão irrepreensível que, misteriosamente, emanam uma influência positiva sobre aqueles que se encontram ao seu redor. Sentimos a necessidade de nos comportarmos de modo correto porque eles possuem o modelo impecável de normas valorativas, as quais sempre nos obrigam, de maneira sugestiva, a nos comportarmos decentemente na sua presença. Seu sentimento introvertido diferenciado considera como fator importante de verdade aquilo que ocorre interiormente.[21]

As pessoas desse tipo não se destacam e não se exibem. Suas razões – se as houver – geralmente permanecem bem ocultas. Elas têm uma enigmática aparência de autocontrole. Preferem evitar festas e grandes aglomerações, não por julgarem os que as frequentam insignificantes ou desinteressantes (o que poderia ser suposto pelo tipo extrovertido sentimental), mas simplesmente

---

[21] *Jung's Typology*, p. 49.

porque sua função avaliadora do sentimento paralisa-se quando muitas coisas ocorrem ao mesmo tempo. Jung escreve:

> Elas são por demais reservadas, inacessíveis, difíceis de compreender; e escondem-se frequentemente por detrás de uma máscara infantil ou banal, e seu temperamento é propenso à melancolia [...]. Seu comportamento exterior é harmonioso, modesto; elas passam quase despercebidas, dando uma impressão de agradável serenidade, ou de atenção complacente, sem nenhuma intenção de afetar, de impressionar, de influenciar ou, de algum modo, mudar os outros [...]. Embora haja uma constante aptidão para a coexistência pacífica e harmoniosa [...] há pouco esforço no sentido de reagir às emoções sinceras de outra pessoa [...]. Esse tipo mantém uma neutralidade benevolente, embora crítica, ao lado de um leve traço de superioridade que, num instante, roubará o fôlego e as esperanças de uma pessoa sensitiva.[22]

O tipo introvertido sentimental perturba os extrovertidos, em particular aqueles cuja função dominante é o pensamento. Os extrovertidos o consideram ao mesmo tempo esquisito e fascinante. Essa atração magnética deve-se ao aparente "vazio" – do ponto de vista do extrovertido – que clama por ser preenchido.

---

[22] *Psychological Types*, CW 6, par. 640.

Claro que a recíproca também é verdadeira: o tipo introvertido sentimental sente-se naturalmente atraído por aquele que se relaciona com facilidade e se expressa com clareza num grupo. Em cada caso, o outro é a personificação da função inferior.[23]

Tais encontros são frequentes, bem como a subsequente acrimônia. Apesar de a compreensão mútua sempre abrir a possibilidade de um relacionamento duradouro, a fascinação pelo tipo oposto, como foi assinalado na introdução (ver p. 41), raramente perdura por muito tempo.

Assim como o pensamento introvertido é contrabalançado por uma espécie de sentimento primitivo, para quem os objetos estão ligados entre si por meio de uma força mágica, o sentimento introvertido é contrabalançado por um pensamento primitivo, inferior. Uma vez que, nesse tipo, o pensamento é extrovertido, este tende a ser redutivo – abjeta e servilmente orientado para os fatos. Na verdade, esta é uma compensação normal e saudável que atua no sentido de mitigar a importância do sujeito, pois esse tipo é tão inclinado à egocentricidade quanto os outros tipos introvertidos.

Descontrolado, o ego do introvertido assume uma importância esmagadora. Nesse caso, escreve Jung, "o poder misterioso do sentimento intensivo transforma-se num desejo vulgar e vaidoso

---

[23] Na idade avançada, é mais comum haver atração entre a função dominante de uma pessoa e a função auxiliar de outra. Essa união parece ser mais viável, talvez porque os complexos associados à função inferior não são facilmente ativados.

```
                    SENTIMENTO INTROVERTIDO
                        (Função Dominante)
                              ___
                           /     \
     INTUIÇÃO         |           |         SENSAÇÃO
  (Função Auxiliar)   |           |      (Função Auxiliar)
                           \ ___ /
                    PENSAMENTO EXTROVERTIDO
                        (Função Inferior)
```

de dominar, numa vontade de ditar ordens, de maneira vaidosa e despótica".[24] Quando os processos subliminares de compensação são suprimidos por completo, o pensamento inconsciente torna-se francamente hostil, negativo, e se projeta sobre o ambiente. Jung descreve a consequência disso numa mulher de tal tipo:

> O sujeito egocentrizado passa a sentir, a partir de então, o poder e a importância do objeto desvalorizado. Ela começa a sentir, de modo consciente, "o que os outros pensam". Naturalmente, os outros estão pensando toda sorte de coisas mesquinhas, intrigas maldosas, planos ardilosos, ciladas etc. A fim de antecipar-se a eles, ela própria é obrigada a iniciar um contragolpe para essas intrigas, a desconfiar dos outros,

---

[24] *Ibidem*, par. 642.

a investigá-los, e a engendrar conspirações. Acossada pelos boatos, ela se empenha freneticamente em vingar-se e sair vencedora [...] mesmo que para isso tenha de lançar mão de sua virtude, prostituindo-se. Esse estado de coisas conduz inevitavelmente à exaustão. A forma de neurose é mais neurastênica do que histérica, muitas vezes com graves complicações físicas, tais como a anemia e suas sequelas.[25]

O TIPO INTROVERTIDO SENSITIVO

Na atitude introvertida, a sensação é baseada sobretudo no componente subjetivo da percepção. Embora sua própria natureza a torne dependente do estímulo objetivo, o sujeito que percebe confere ao objeto percebido uma importância secundária.

A sensação é uma função irracional, pois é orientada não por um processo lógico de julgamento, mas simplesmente pelo que é e pelo que ocorre. "Ao passo que o tipo sensitivo extrovertido é guiado pela intensidade das influências objetivas", observa Jung, "o tipo introvertido é guiado pela intensidade da sensação subjetiva excitada pelo estímulo objetivo."[26]

O tipo sensitivo é como uma chapa fotográfica altamente sensibilizada. A sensitividade física a objetos e a outras pessoas capta cada minúcia ou nuança – com o que se parecem, que

---

[25] *Ibidem*, par. 643.
[26] *Ibidem*, par. 650.

sensação fornecem ao tato, seu sabor e cheiro e os sons que emitem. Von Franz afirma que compreendeu esse tipo pela primeira vez quando Emma Jung chamou sua própria função dominante de sensação introvertida.

> Quando alguém adentra uma sala, esse tipo percebe-lhe a maneira de chegar, o cabelo, a expressão do rosto, as roupas, o modo de andar [...] cada minúcia é assimilada. A impressão vem do objeto para o sujeito; é como se uma pedra mergulhasse em águas profundas – a impressão torna-se cada vez mais profunda, até ser totalmente tragada. Exteriormente, o tipo introvertido sensitivo parece uma pessoa completamente estúpida. Ele se senta e olha fixamente para você e você não sabe o que está se passando no seu íntimo. Ele parece um pedaço de madeira, sem nenhuma reação [...] mas, interiormente, a impressão está sendo assimilada [...]. Em seu íntimo, as rápidas reações interiores continuam e a reação exterior só vem à tona de modo retardado. Estas são as pessoas que, se ouvirem uma piada de manhã, provavelmente só acharão graça à meia-noite.[27]

Os tipos introvertidos sensitivos, quando são artistas criativos, têm a facilidade de, através da pintura ou da escrita, dar vida a uma determinada cena. Thomas Mann, por exemplo, ao

---

[27] *Jung's Typology*, pp. 27-8.

descrever cada detalhe de uma cena, evoca toda a atmosfera de um aposento ou o caráter de uma pessoa. Os pintores impressionistas franceses também se incluem nesse grupo; eles reproduzem exatamente as impressões interiores neles estimuladas por um ambiente, por uma paisagem ou por uma pessoa do mundo exterior.

Essa é a diferença entre a sensação extrovertida e a sensação introvertida. A primeira produziria num artista um *reflexo* realista do objeto; a última, uma representação exata da *impressão* provocada pelo objeto sobre o sujeito. Jung afirma:

> A sensação introvertida apreende muito mais o fundo do que a superfície do mundo físico. O importante não é a realidade do objeto, mas a realidade do fator subjetivo, das imagens primordiais que, em sua totalidade, constituem um espelho psíquico do mundo. Esse espelho possui a faculdade singular de refletir os conteúdos de consciência existentes, não em sua forma conhecida e habitual, mas [...] aproximadamente como uma consciência milenar poderia vê-los [...]. A sensação introvertida transmite uma imagem que, muito mais do que reproduzir o objeto, espalha sobre ele a pátina da antiquíssima experiência subjetiva [...] ao passo que a sensação extrovertida apreende a existência momentânea das coisas, tal como aparece à luz do dia.[28]

---

[28] *Psychological Types*, CW 6, par. 649.

O fator subjetivo na sensação é essencialmente idêntico ao dos outros tipos introvertidos. Trata-se de uma disposição inconsciente que altera a percepção sensorial em sua fonte, privando-a, assim, da marca de uma influência puramente objetiva. A percepção subjetiva é orientada mais para o significado que se prende aos objetos do que para suas propriedades físicas inerentes.

A dificuldade característica do introvertido de se autoexpressar também é própria desse tipo. Jung sugere que isso dissimula a irracionalidade essencial do tipo introvertido sensitivo:

> Ao contrário, ele pode ser notório por sua calma e passividade, ou por seu autocontrole racional. Essa peculiaridade, que muitas vezes leva a um julgamento superficial e incorreto, deve-se realmente à sua desconexão com os objetos. De qualquer forma, o objeto não é conscientemente desvalorizado, mas seu estímulo é removido e imediatamente substituído por uma reação subjetiva, que já não se relaciona mais com a realidade do objeto. Naturalmente, o efeito disso é idêntico ao da desvalorização. Uma pessoa desse tipo pode facilmente questionar a razão da nossa existência ou a razão pela qual os objetos em geral teriam alguma justificativa para existir, já que tudo o que é essencial continuará a sê-lo, independentemente de nós ou dos objetos.[29]

---

[29] *Ibidem*, par. 650.

Tem-se muitas vezes a impressão de que o efeito do objeto quando observado do exterior não penetra de modo algum no sujeito. Em casos extremos, isso pode ser verdade – o sujeito já não é capaz de distinguir entre o objeto real e a percepção subjetiva – mas, em geral, a aparente indiferença com relação ao objeto é simplesmente uma forma de defesa, típica da atitude introvertida, contra a intromissão ou influência do mundo exterior.

Sem uma aptidão para a expressão artística, as impressões submergem nas profundezas e mantêm a consciência enfeitiçada. Uma vez que o pensamento e o sentimento também são relativamente inconscientes, as impressões do mundo exterior só podem ser organizadas de um modo arcaico. Há pouca ou mesmo nenhuma capacidade racional de julgamento para classificar as coisas. Esse tipo de pessoa, segundo Jung, "é excepcionalmente inacessível ao conhecimento objetivo, e geralmente não se sai melhor com relação ao autoconhecimento".[30]

A intuição extrovertida inferior desse tipo, afirma Von Franz, "tem uma capacidade extraordinária, sobrenatural, fantástica [...] com relação ao mundo exterior, coletivo e impessoal".[31] Como já foi mencionado, a sensação geralmente tende, de fato, a reprimir a intuição, pois esta estorva a percepção da realidade concreta. Portanto, a intuição desse tipo, quando se manifesta, possui um caráter arcaico.

---

[30] *Ibidem*, par. 652.

[31] *Jung's Typology*, p. 81.

```
                SENSAÇÃO INTROVERTIDA
                   (Função Dominante)


  SENTIMENTO                              PENSAMENTO
 (Função Auxiliar)                       (Função Auxiliar)


                 INTUIÇÃO EXTROVERTIDA
                    (Função Inferior)
```

Enquanto a verdadeira intuição extrovertida é dotada de uma singular desenvoltura, de um "ótimo faro" para as possibilidades objetivamente reais, essa mesma intuição, quando se torna arcaica, adquire uma espantosa aptidão para todas as possibilidades ambíguas, sombrias, sórdidas e perigosas, ocultas na obscuridade. Os propósitos reais e conscientes do objeto nada significam para ela; em vez disso, ela fareja cada estímulo arcaico concebível, subjacente a esses propósitos. Ela possui, portanto, uma qualidade perigosa e destrutiva, que contrasta clamorosamente com a inocuidade bem-intencionada da atitude consciente.[32]

---

[32] *Psychological Types*, CW 6, par. 654.

Ao contrário dos tipos extrovertidos sensitivos, que captam as intuições que interessam ao sujeito – a eles próprios –, os tipos introvertidos sensitivos são mais inclinados a ter sombrias fantasias proféticas sobre o que poderia acontecer no mundo exterior – à sua família ou à "humanidade". Eles também são propensos, observa Von Franz, a visões interiores que contradizem sua disposição natural de ter os pés no chão.

> Esse tipo, ao caminhar por uma rua, poderia ver um cristal numa vitrine e sua intenção poderia, de repente, compreender seu significado simbólico: esse significado simbólico do cristal fluiria para dentro da sua alma [...]. Isso teria sido disparado pelo evento exterior, uma vez que sua intuição inferior é essencialmente extrovertida. Naturalmente, ele reúne as mesmas características desfavoráveis do tipo extrovertido sensitivo: em ambos, as intuições, muitas vezes, possuem um caráter sinistro e, portanto, se não forem trabalhadas, os conteúdos proféticos irromperão de modo pessimista e negativo.[33]

A função sensitiva, muito embora bastante precisa quanto ao registro da realidade física, tende a operar de modo lento, preguiçoso. À medida que as outras funções são inconscientes, esse tipo facilmente se acomoda aos hábitos e à rotina do momento

---

[33] *Jung's Typology*, p. 29.

presente. Voltado para o aqui e agora, para o que é, encontram a maior dificuldade para imaginar o que poderia ser, as possibilidades que constituem o domínio natural do intuitivo.

Uma vez que o tipo sensitivo não se mantém muito indiferente ao objeto, diz Jung, "sua intuição inconsciente tem um efeito compensatório salutar sobre a atitude um tanto fantasiosa e demasiado ingênua da consciência":

> Contudo, assim que o inconsciente se torna antagônico, as intuições arcaicas vêm à tona e exercem sua influência perniciosa, obrigando o indivíduo a aceitá-las e gerando a espécie mais perversa de ideias compulsivas. Geralmente, o resultado é uma neurose de compulsão, cujas características histéricas são dissimuladas por sintomas de exaustão.[34]

O TIPO INTROVERTIDO INTUITIVO

A intuição, tal como a sensação, é uma função irracional de percepção. Enquanto esta é motivada pela realidade física, aquela é orientada para a realidade psíquica. O fator subjetivo, reprimido na atitude extrovertida, é decisivo na atitude introvertida. Quando esse modo de funcionamento é dominante, temos um tipo introvertido intuitivo.

---

[34] *Psychological Types*, CW 6, par. 654.

A intuição introvertida dirige-se para os conteúdos do inconsciente. Embora possa ser estimulada por objetos exteriores, escreve Jung, "ela não se interessa pelas possibilidades exteriores, mas pelo que o objeto exterior liberou interiormente".[35] Ela vê os bastidores, fixando-se, fascinada, nas imagens interiores, cuja vida foi restaurada.

Jung dá o exemplo de um homem surpreendido por uma vertigem. Enquanto a sensação introvertida notaria o distúrbio físico, percebendo todas as suas características, intensidade, curso, como surgiu e quanto tempo durou, a intuição introvertida não veria nada disso, mas procuraria antes explorar cada detalhe das imagens suscitadas pelo distúrbio. "Ela se agarra firmemente à visão, observando, com o mais vivo interesse, como o quadro se altera, se desdobra e, por fim, se desvanece":

> Desse modo, a intuição introvertida percebe todos os processos que ocorrem nos bastidores da consciência com quase a mesma clareza com que a sensação extrovertida registra os objetos exteriores. Para a intuição, portanto, as imagens inconscientes adquirem o valor de uma coisa viva. Contudo, pelo fato de a intuição excluir a cooperação da sensação [...] as imagens aparecem como se estivessem separadas do sujeito, como se existissem por si mesmas, sem qualquer relação com ele. Consequentemente, no exemplo supramencionado, o introvertido intuitivo, se atacado por

---

[35] *Ibidem*, par. 656.

vertigens, nunca imaginaria que a imagem por ele percebida poderia, de algum modo, referir-se a ele próprio. Naturalmente, para um tipo que julga [reflexivo ou sentimental], isto pareceria inconcebível, mas, não obstante, é um fato.[36]

O tipo introvertido intuitivo, do mesmo modo que o extrovertido intuitivo, possui uma misteriosa capacidade de pressentir o futuro, as possibilidades ainda não visíveis de uma situação. Contudo, a intuição se dirige para o interior; por isso podemos encontrá-los principalmente entre os videntes, os profetas, os poetas e os artistas; entre os povos primitivos, eles são os xamãs, que transmitem as mensagens dos deuses à tribo.

Num nível mais mundano, as pessoas desse tipo tendem a ser utopistas místicos. Elas não se comunicam bem, são frequentemente mal compreendidas, falta-lhes um bom senso de julgamento, tanto sobre elas próprias como a respeito dos outros, e jamais concluem coisa alguma. Passam de uma imagem para outra, escreve Jung, "no encalço das possibilidades existentes no fértil útero do inconsciente", sem estabelecer qualquer conexão pessoal.[37]

Esse tipo é particularmente propenso a negligenciar as necessidades físicas mais básicas. Em geral, eles têm uma vaga noção de sua própria existência física ou do efeito que isso exerce sobre os outros. Muitas vezes pode parecer (sobretudo para o extrovertido)

---

[36] *Ibidem*, par. 657.

[37] *Ibidem*, par. 658.

que, para eles, a realidade não existe – que estão simplesmente perdidos em fantasias infrutíferas. Jung opõe-se a essa opinião ao descrever o valor desse tipo para a coletividade:

> A percepção das imagens do inconsciente, produzidas em inesgotável abundância pela energia criativa da vida, é naturalmente infrutífera do ponto de vista da utilidade imediata. Mas, desde que essas imagens representam possíveis visões do mundo que podem gerar um novo potencial, essa função, que para o mundo exterior é a mais estranha de todas, é tão indispensável para a economia psíquica global, quanto o tipo humano correspondente o é para a vida psíquica de um povo. Se esse tipo não existisse, não teria havido profetas em Israel.[38]

Os introvertidos intuitivos são particularmente confusos com relação a detalhes no mundo "real". Eles se perdem facilmente em cidades que não conhecem, extraviam seus pertences, esquecem compromissos, raramente aparecem na hora certa e chegam aos aeroportos no último minuto. Seu ambiente de trabalho geralmente é caótico; eles não conseguem encontrar os documentos de que precisam, nem as ferramentas ou, as roupas limpas. Raras vezes pode-se observar neles algo metódico, em ordem. Eles tendem a conseguir seu objetivo de qualquer jeito, dependendo da tolerância e da boa vontade de amigos sensitivamente orientados.

---

[38] *Idem.*

Para os outros tipos, seu comportamento é, no melhor dos casos, frequentemente inoportuno e, na pior das hipóteses, difícil de suportar. Eles próprios podem permanecer indiferentes, respondendo, quando questionados, que os detalhes "realmente não têm importância".

O desinteresse desse tipo pela realidade tangível é facilmente mal interpretado, por um lado, como indiferença, e, por outro, como falsidade. Eles são fiéis às imagens interiores e não aos fatos exteriores. Conscientemente, não conseguem mentir, mas sua lembrança ou evocação de um evento dificilmente coincidirá com a assim chamada realidade objetiva. No caso extremo, a pessoa desse tipo torna-se um completo enigma para os amigos e, consequentemente, uma vez que não se sentem estimados e suas opiniões parecem não importar, os amigos podem começar a rarear.

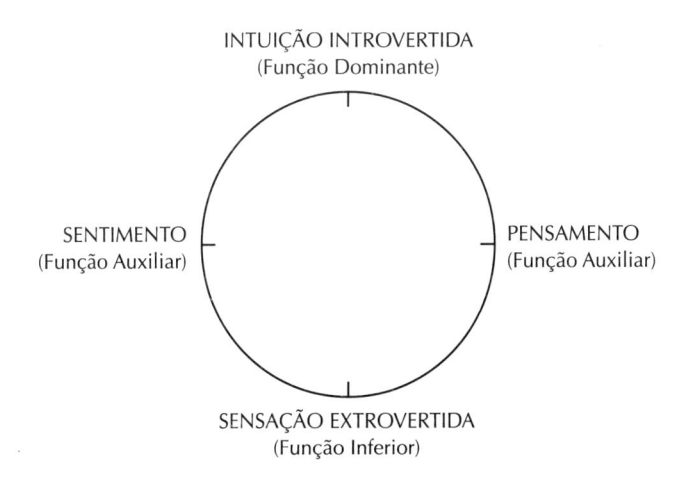

```
              INTUIÇÃO INTROVERTIDA
               (Função Dominante)

    SENTIMENTO                    PENSAMENTO
  (Função Auxiliar)            (Função Auxiliar)

              SENSAÇÃO EXTROVERTIDA
                (Função Inferior)
```

O introvertido intuitivo extremo reprime as duas funções de julgamento – o pensamento e o sentimento – mas, sobretudo, a sensação provocada pelo objeto. Isso naturalmente imprime uma natureza arcaica à sensação extrovertida compensatória. A personalidade inconsciente, diz Jung, "pode ser mais bem descrita como um tipo extrovertido sensitivo de uma categoria mais inferior e primitiva":

> A instintividade e a intemperança são as marcas distintivas dessa sensação, associadas a uma singular dependência das impressões sensoriais. Isso compensa o ar rarefeito da atitude consciente do intuitivo, dando-lhe certo peso, de modo a impedir a total "sublimação". Mas se, devido a um exagero forçado da atitude consciente, ocorrer uma total subordinação às percepções interiores, o inconsciente insurgir-se-á em total oposição, provocando sensações compulsivas, cuja excessiva dependência com relação ao objeto contradirá em absoluto a atitude consciente. A forma de neurose é a de compulsão, com sintomas hipocondríacos, hipersensibilidade dos órgãos dos sentidos e vínculos compulsivos com pessoas estranhas ou objetos.[39]

De acordo com Von Franz, o introvertido intuitivo tem uma particular dificuldade no campo sexual.[40] Esses tipos não são os

---

[39] *Ibidem*, par. 663.
[40] *Jung's Typology*, p. 35.

maiores amantes do mundo simplesmente porque têm pouquíssima noção sobre o que acontece em seu próprio corpo ou no de seu parceiro. Ao mesmo tempo, eles tendem a ter uma natureza lasciva – que reflete a função sensitiva inferior e, portanto, primitiva – e, devido à sua carência de julgamento, acabarão fazendo alusões sexuais obscenas e socialmente inadequadas.

Jung reconhece que, embora o introvertido intuitivo e o tipo introvertido sensitivo sejam ambos, a partir de um ponto de vista extrovertido e racionalista, "realmente os mais inúteis dos homens", a maneira como eles funcionam é, no entanto, instrutiva:

> De um ponto de vista mais crítico, eles são uma forte evidência de que este mundo rico e variado, com sua vida exuberante e inebriante, é algo que existe não só exteriormente como também interiormente [...]. À sua própria maneira, eles são educadores e fomentadores de cultura. Sua vida ensina mais que suas palavras. A partir de suas vidas, bem como de seu maior defeito: a incapacidade de se comunicar – podemos compreender um dos maiores erros da nossa civilização, ou seja, a crença supersticiosa nas declarações verbais, e a superestima ilimitada do ensino por meio de palavras e métodos.[41]

---

[41] *Psychological Types*, CW 6, par. 665.

Capítulo 4

OBSERVAÇÕES FINAIS

POR QUE TIPOLOGIA?

Um sistema de tipologia é apenas um indicador geral daquilo que as pessoas têm em comum e das diferenças entre elas. O modelo de Jung não constitui exceção. Ele apenas se distingue por seus parâmetros – as duas atitudes e as quatro funções. O que ele não mostra, e não pode mostrar – e tampouco pretende – é a singularidade do indivíduo.

Ninguém é um tipo puro. Seria até mesmo tolice tentar reduzir uma personalidade particular a isto ou àquilo, a uma coisa ou a outra. Segundo o modelo junguiano, cada um de nós é um conglomerado, uma mescla de atitudes e funções que, em sua combinação, resiste à classificação. Esta é uma verdade reconhecida com ênfase por Jung:

> Nunca se pode fornecer a descrição de um tipo, por mais completa que seja, que pudesse ser aplicada a mais de um indivíduo, a despeito do fato de que, em alguns pontos, ela caracterize de modo adequado milhares de outros. A conformidade é uma faceta de um homem; a outra é a singularidade.[1]

Mas isso não anula o valor prático de seu modelo, particularmente em situações clínicas, quando o indivíduo encalhou nos escolhos de sua própria psicologia. Sem algum tipo de modelo, simplesmente ficaremos ao sabor das ondas, num mar de opiniões individuais – perdidos numa floresta, e sem bússola.

> O objetivo de uma tipologia psicológica não consiste em classificar seres humanos em categorias – isso, por si só, não teria nenhum sentido. Seu propósito é antes fornecer uma psicologia crítica, que faria uma investigação e uma apresentação metódica do material empírico possível. Trata-se, antes de tudo, de uma ferramenta crítica destinada ao pesquisador, que necessita de pontos de vista e de orientações precisas, se deseja reduzir a profusão caótica

---

[1] *Psychological Types*, CW 6, par. 895.

de experiências individuais a algum tipo de categoria. Em segundo lugar, uma tipologia é de grande ajuda na compreensão das amplas variações que ocorrem entre os indivíduos, bem como das fundamentais divergências entre as teorias psicológicas atuais. Por último, mas não menos importante, essa psicologia é um recurso essencial para determinar a "equação pessoal" do psicólogo praticante que, armado com um exato conhecimento das suas funções diferenciada e inferior, pode evitar muitos erros graves ao tratar de seus pacientes.[2]

Se o modelo de Jung é "verdadeiro" ou não – objetivamente verdadeiro –, é uma questão discutível (existe alguma coisa "objetivamente" verdadeira?). Sem dúvida, não foi verificado o grau de concordância entre as duas atitudes e as quatro funções, por um lado, e a realidade estatística, por outro. Para fazê-lo, seria preciso correlacionar testes de milhões de pessoas que tenham uma grande compreensão de si mesmas e, ainda assim, os resultados seriam suspeitos, uma vez que o próprio método dependeria ainda da tipologia daqueles que formularam o teste – as perguntas, as expressões, os preconceitos, as pressuposições etc. –, sem mencionar as excentricidades circunstanciais inerentes a qualquer teste num momento específico.

---

[2] *Ibidem*, par. 986.

A "verdade" real é que o modelo junguiano dos tipos psicológicos possui todas as vantagens e desvantagens de qualquer modelo científico. Embora lhe falte uma comprovação estatística, é igualmente difícil refutá-lo. Não obstante, ele corresponde à realidade empírica. Além disso, pelo fato de ter como base uma visão quádrupla, arquetípica, das coisas – semelhante à mandala –, ele é *psicologicamente satisfatório*.

Como se mencionou anteriormente (p. 43), o comportamento de uma pessoa pode ser enganoso para se determinar sua tipologia. Por exemplo: gostar de conviver com outras pessoas é característico da atitude extrovertida, mas isso não significa, automaticamente, que uma pessoa que aprecie demais a convivência com outras pessoas seja um tipo extrovertido.

Naturalmente, as atividades de uma pessoa serão, até certo ponto, determinadas pela tipologia, mas a interpretação dessas atividades, sob o aspecto tipológico, depende do sistema de valores que está por trás da ação. Quando o sujeito – o próprio indivíduo – e um sistema pessoal de valores constituem os fatores de motivação dominante, teremos, por definição, um tipo introvertido – esteja ele em grupo ou sozinho. De modo semelhante, quando alguém é predominantemente orientado para o objeto – para coisas e outras pessoas –, temos um tipo extrovertido, esteja ele em grupo ou sozinho. É isso o que torna o sistema de Jung fundamentalmente um modelo da *personalidade*, mais do que um modelo de comportamento.

Tudo o que é psíquico é relativo. Eu não posso falar, pensar ou fazer qualquer coisa sem que isso sofra a influência da minha visão particular do mundo, a qual, por sua vez, é uma manifestação da minha tipologia. Essa "regra" psicológica é análoga à famosa teoria de Einstein acerca da relatividade na Física. E de mesma importância.

Se eu estiver conscientemente atento ao modo a que mais me inclino para trabalhar, ser-me-á possível determinar minhas atitudes e meu comportamento numa dada situação e adaptá-lo de modo adequado. Isso me permite não só compensar minha disposição pessoal, como também ser tolerante com relação a quem não trabalha como eu – alguém que possua, talvez, uma força ou uma habilidade que eu não possuo.

A partir desse ponto de vista, a questão de fato importante não é saber se alguém é introvertido ou extrovertido, ou qual função é superior ou inferior, e sim, de modo mais pragmático: *nesta* situação, ou com aquela pessoa, de que modo eu agi? Qual foi o resultado? Minhas ações e o modo pelo qual me expressei refletiram fielmente meus julgamentos (pensamento e sentimento) e minhas percepções (sensação e intuição)? E, se não, por que não? Quais complexos foram ativados em mim? Com que fim? Como e por que eu confundi as coisas? E o que isso significa no que concerne à minha psicologia? O que posso fazer quanto a isso? O que *desejo* fazer a respeito?

TESTE TIPOLÓGICO

Embora Jung não previsse o atual uso comercial do seu modelo de tipologia,[3] ele advertiu que este não deveria ser utilizado como "um guia prático para um julgamento eficiente do caráter humano":

> Mesmo nos círculos médicos, a opinião corrente é que meu método de tratamento consiste em enquadrar os pacientes nesse sistema e dar-lhes "conselho" correspondente [...]. Minha tipologia é, antes, um aparato crítico usado para classificar e organizar o caos do material empírico, e nunca no sentido de rotular pessoas [...]. Não se trata de fisiognomia nem de um sistema antropológico, mas de uma psicologia crítica que trata da organização e delimitação dos processos psíquicos que podem ser apontados como típicos.[4]

A análise tipológica determinada por testes escritos pode ser de grande ajuda, mas também pode ser enganosa. Testes são estáticos e baseiam no coletivo, ou seja, sua validade é estatística e

---

[3] Os testes tipológicos baseados nos princípios junguianos e mais amplamente usados são Myers-Briggs Type Indicator, o Gray-Wheelwright Type Survey e o Singer-Loomis Inventory. Segundo a revista *Fortune* ("Os Testes de Personalidade Estão de Volta", de 30 de março de 1987, pp. 74ss), "aproximadamente um milhão e meio de pessoas" fizeram o teste Myers-Briggs em 1986.

[4] *Psychological Types*, CW 6, pp. xiv-xv.

específica de um determinado momento. Eles podem fornecer um quadro razoável das predileções conscientes de uma pessoa na hora, mas, à medida que não levam em consideração o caráter dinâmico da psique, nada acusarão acerca da possibilidade de mudança.

No mundo corporativo, os testes tipológicos podem ser um instrumento útil para ilustrar tanto a base psicológica de conflitos entre indivíduos num grupo como a natureza complementar das diferentes personalidades. Eles também podem acusar com muita precisão, quando avaliado no dia do teste, a possibilidade de uma pessoa em se adaptar ou não, naquele momento, às exigências de um determinado emprego ou ambiente. Mas por quanto tempo? Em benefício de quem? E em detrimento de quantas outras possibilidades do indivíduo? Ou das futuras necessidades da companhia?

Os testes tipológicos não revelam até onde o tipo de um indivíduo pode ter sido falsificado ou deturpado por fatores de ordem familiar ou ambiental; eles nada informam acerca do modo pelo qual a forma habitual de funcionamento pode ser determinada por complexos; tampouco refletem a atitude compensatória do inconsciente, sempre presente. Além disso, a pessoa testada pode estar usando uma das funções secundárias ou auxiliares para responder às questões – ou, na verdade, respondendo fora da esfera da sombra ou da persona (ver o próximo tópico).

Antes de tudo, os testes tipológicos não levam em conta a realidade empírica, segundo a qual as preferências tipológicas de uma pessoa podem mudar com o passar do tempo.

Considere, por exemplo, um homem que conquistou diversos diplomas universitários, até mesmo um doutorado. Essa pessoa, habituada a longos períodos de trabalho solitário usando a função do pensamento, pode muito bem, num teste escrito, destacar-se como um tipo reflexivo introvertido. Ele pode até mesmo se julgar tal. Mas o será, realmente?

Não necessariamente. Ele pode ter trabalhado por anos seguidos a fim de satisfazer as expectativas de outros; pode ter reprimido a tal ponto seu anseio de uma atividade extrovertida que, agora, dificilmente ele sabe que esse anseio existe. A extroversão e, digamos, a função do sentimento podem estar enterradas tão profundamente em sua sombra que apenas uma grande crise em sua vida, precipitando um colapso nervoso, poderia trazê-las à baila.

De modo análogo, uma mulher que, aparentemente, é um tipo sentimental, uma dona de casa com uma vida social ativa, pode um dia descobrir o mundo introvertido das ideias e decidir cursar uma universidade. Seria ela, como se diz, um tipo falso, que nunca teve a oportunidade de desenvolver sua função reflexiva naturalmente dominante? Ou será que o pensamento é, agora, apenas uma excentricidade temporária? Os resultados de um teste tipológico seriam relevantes em cada um desses dois momentos da sua vida?

A conclusão é que um teste avaliado exteriormente, ainda que auto-administrado, não é um guia confiável daquilo que está ocorrendo interiormente. No campo da tipologia, como em qualquer tentativa de autoconhecimento, não há nada que possa substituir uma contínua autorreflexão.

Embora isso seja óbvio para o introvertido, que não só está habituado à reflexão, como dela também depende, raramente é tão claro para o extrovertido, que tende a confiar e a contar com os determinantes do mundo exterior.

A TIPOLOGIA E A SOMBRA

O modelo de tipologia de Jung baseia-se nas formas preferenciais ou habituais de agir. Usado com responsabilidade, é um guia valioso da nossa inclinação psicológica dominante, do nosso modo de ser, durante a maior parte do tempo. Ele também revela, por inferência, o que nós, na maioria das vezes, *não somos* – mas que também poderíamos ser.

Onde, então, está o resto de nós (durante a maior parte do tempo)?

Teoricamente, podemos dizer que a atitude e as funções inferiores ou não desenvolvidas fazem parte daquela faceta de nós mesmos à qual Jung deu o nome de "sombra". A razão para isso é tanto de ordem conceitual quanto de ordem pragmática.

Conceitualmente, a sombra, como o ego, é um complexo. Mas enquanto o ego, como o complexo dominante da consciência, está associado a aspectos da pessoa mais ou menos conhecidos (como "eu"), a sombra é formada por aquelas características da personalidade que não fazem parte do modo pelo qual uma pessoa habitualmente se comporta no mundo e, portanto, mais ou menos estranho ao seu senso de identidade pessoal.[5]

Potencialmente, a sombra, tanto é criativa como destrutiva: criativa porque representa os aspectos da pessoa que foram enterrados ou que ainda poderiam ser realizados; destrutiva, no sentido de que seu sistema de valores e suas motivações tendem a enfraquecer ou a perturbar a imagem consciente que a pessoa tem de si mesma.

Tudo aquilo que não é ego é relativamente inconsciente, enquanto os conteúdos do inconsciente permanecerem indiferenciados, a sombra é o inconsciente. Uma vez que a atitude oposta e as funções inferiores são, por definição, relativamente inconscientes, elas estão, naturalmente, associadas à sombra.

Em nosso mundo imediato, há atitudes e comportamentos que são socialmente aceitáveis, e outros que não são. Durante nossa formação, é natural reprimir, ou suprimir, os aspectos inaceitáveis de nós mesmos. Eles "caem" na sombra. O que fica é a persona – o "eu" que apresentamos ao mundo exterior.

A persona viveria de acordo com o que é esperado, com o que é conveniente. Ela é, ao mesmo tempo, uma ponte socialmente útil e uma indispensável capa protetora; sem uma persona, simplesmente seríamos muito vulneráveis aos outros. De maneira constante, ocultamos nossa inferioridade como uma persona, já que não gostamos que vejam nossas fraquezas. O tipo

---

[5] Ver Jung, "The Shadow", *Aion*, CW 9ii, pars. 13ss.

introvertido reflexivo, numa festa barulhenta, sorri enquanto range os dentes. O tipo extrovertido sentimental pode fingir que está estudando quando, na verdade, por falta de companhia está "subindo pelas paredes".

A sociedade civilizada, a vida tal como a conhecemos, depende das interações entre as pessoas por meio da persona. Contudo, é psicologicamente doentio identificar-se com ela, acreditar que somos "apenas" a pessoa que exibimos aos outros.

De modo geral, a sombra é menos civilizada, mais primitiva e pouco se importa com o decoro social. O que é importante para a persona torna-se um objeto de aversão para a sombra, e vice-versa. Portanto, a sombra e a persona operam de um modo compensatório: quanto mais clara a luz, mais escura a sombra. Quanto mais um indivíduo se identifica com a persona – o que significa, de fato, a negação da sombra – mais problemas terá com o "outro lado" não reconhecido de sua personalidade.

Assim, a sombra constantemente contesta a moralidade da persona e, à proporção que a consciência do ego se identifica com a persona, a sombra também ameaça o ego. No processo de desenvolvimento psicológico, que Jung chamou de individuação, a desidentificação com relação à persona e a assimilação consciente da sombra seguem lado a lado. O ideal é ter um ego forte o suficiente para reconhecer tanto a persona como a sombra, sem identificar-se com uma ou com a outra.

Isso não é tão fácil quanto parece. Nossa tendência é nos identificarmos com o melhor de nós – e por que não deveríamos?

Afinal, a função superior tem um valor utilitário incontestável. Ela torna tudo mais fácil e muito mais cômodo; em geral, proporciona elogios, gratificações materiais, uma certa satisfação. Torna-se, inevitavelmente, um aspecto notável da persona. Por que renunciar a ela? O fato é que não o fazemos – a menos que tenhamos de fazê-lo. E quando isso ocorre? – quando enfrentamos situações na vida que não se submetem ao modo pelo qual agimos habitualmente; ou seja, quando o modo pelo qual somos propensos a encarar as coisas não funciona.

De fato, como já foi observado, a sombra, e tudo que a ela se associa, é realmente sinônimo de *vida não vivida*. "A vida é muito mais do que isso" é uma observação que se ouve com frequência no consultório do analista. Tudo o que eu, de maneira consciente, sou e aspiro a ser exclui, de fato, o que eu deveria ser, o que poderia ser, e *também o que eu sou*. Grande parte do que eu "também sou" foi ou é reprimida porque era – ou é – ambientalmente inaceitável; a outra parte é apenas um potencial não realizado.

Por meio da introspecção, podemos nos tornar conscientes dos aspectos da sombra da personalidade, mas podemos ainda resistir a eles ou temer sua influência. E, mesmo quando são conhecidos e são bem-vindos, eles não são de fácil acesso à vontade consciente. Por exemplo: posso estar bem a par de que minha intuição é sombria – primitiva e inadaptada – e não ser capaz de invocá-la quando necessário. Posso saber que, numa determinada situação, o sentimento é necessário e, contudo, é-me humanamente impossível manifestá-lo. Quero me divertir numa festa, mas meu lado extrovertido, despreocupado, desapareceu. Reconheço que deveria me dedicar a uma introversão solitária, mas a atração exercida pelas luzes brilhantes é mais forte.

A sombra não exige, necessariamente, o mesmo tempo exigido pelo ego, mas, tendo-se em vista uma personalidade equilibrada, ela não pode deixar de ser levada em consideração. No caso do introvertido, isso pode significar uma eventual noitada pela cidade – o que seria contra o seu "bom senso". Para o extrovertido, poderia significar – por mais que isso o contradiga – uma noite inteira voltada para uma parede. Em geral, a pessoa cuja sombra está adormecida parece-nos enfadonha, desanimada. Tipologicamente, isso se manifesta de duas maneiras: o extrovertido parece carecer de profundidade; o introvertido parece socialmente inepto.

A situação psicológica do introvertido encontra-se exposta na seguinte observação de Franz Kafka:

> Quem quer que leve uma vida solitária, e vez por outra deseje vincular-se a algum lugar; seja quem for que, de acordo com as variações das horas do dia, do tempo, da situação do seu trabalho ou de algo semelhante, de súbito anseie por um braço qualquer, ao qual possa de algum modo se agarrar – ele não seria capaz de aguentar por muito tempo sem uma janela que se abrisse para a rua.[6]

---

[6] "The Street Window", in *The Penal Colony*, trad. Willa e Edwin Muir (Nova York: Schocken Books, 1961), p. 39.

De modo análogo, o extrovertido só pode tornar-se consciente da sombra quando ferido pelo vazio das relações sociais.

Há um equilíbrio entre a introversão e a extroversão, assim como entre as funções normalmente opostas, mas raramente se torna necessário – ou mesmo possível – procurá-lo fora, a não ser que a personalidade consciente do ego sofra um abalo.

Nesse caso, que felizmente se manifesta antes como um esgotamento nervoso do que como uma ruptura psicótica mais grave, o lado da sombra exige reconhecimento. O distúrbio resultante talvez não pareça muito benéfico, e até mesmo abale muito daquilo que o indivíduo sabia ou acreditava a respeito de si mesmo, mas tem a vantagem de derrotar a tirania da atitude dominante da consciência. Se então os sintomas forem observados com alguma seriedade, toda a personalidade poderá ser estimulada.

Há, por definição, um conflito natural entre o ego e a sombra; mas, quando uma pessoa tenta sobreviver no limite do seu potencial, então a integração da sombra – incluindo a atitude e as funções inferiores –, que a princípio era apenas desejável teoricamente, torna-se uma necessidade prática. Por isso o processo de assimilação da sombra requer a capacidade de se viver com certo grau de tensão psicológica.

O homem introvertido, por exemplo, sob a influência de sua sombra extrovertida inferior, tende a imaginar que está perdendo algo: mulheres joviais, companhias íntimas, excitação. Ele mesmo pode achar tudo isso uma ideia absurda, mas sua sombra deseja essas fantasias. Sua sombra o conduzirá aos locais mais perniciosos e mal frequentados para, em seguida, e de modo estranho, o abandonar. O que sobrou? Um introvertido solitário, saudoso do lar.

Por outro lado, o introvertido que, num momento de extroversão, for enganosamente considerado como um verdadeiro extrovertido, corre o risco de se meter em apuros. Ao passo que o extrovertido, num momento de introversão, tem de se haver apenas consigo mesmo, o introvertido, num momento de extroversão, frequentemente provoca um grande impacto naqueles que cruzam o seu caminho, mas não desejaria revê-los no dia seguinte. Quando sua introversão volta a se consolidar, ele pode, literalmente, não ter nenhuma necessidade de outras pessoas. Assim, o intelectual introvertido, cuja sombra é um despreocupado Don Juan, desafoga-se destruindo o coração de mulheres que nem suspeitam desse seu lado.

Os extrovertidos genuínos têm prazer em participar de grandes aglomerações, o seu lar natural. Quando sozinhos, ficam inquietos, não porque estejam fugindo de si mesmos, mas porque não possuem parâmetros para estabelecer sua identidade fora do grupo. A sombra introvertida dos extrovertidos encoraja-os a ficar em casa e a descobrir quem são.

Contudo, assim como os introvertidos podem ser abandonados por suas sombras em algum bar barulhento, também os extrovertidos podem ser abandonados e deixados à própria sorte.

A atitude oposta e as funções inferiores aparecem regularmente como imagens da sombra em sonhos ou fantasias. De acordo com a interpretação de Jung, todos os personagens que aparecem nos sonhos são personificações de aspectos do sonhador.[7] A atividade de sonhar intensifica-se quando uma função geralmente não acessível à consciência é exigida. Assim, um homem do tipo reflexivo, depois de uma discussão com a esposa, por exemplo, pode ser assaltado em seus sonhos por imagens de pessoas sentimentais, primitivas, ilustrando de forma dramática um lado de si mesmo que ele precisa admitir. De modo semelhante, o tipo sensitivo, com a atenção sempre voltada para o sensual, pode se confrontar em sonhos com um tipo intuitivo, que lhe mostra algumas outras saídas possíveis, e assim por diante.

Assimilar uma função, assunto já abordado na introdução (p. 30), significa mantê-la constantemente no primeiro plano da consciência. "Se uma pessoa cozinha ou costura um pouco", escreve Von Franz, "isso não quer dizer que a função da sensação tenha sido assimilada":

> A assimilação significa que o conjunto da adaptação consciente da vida consciente repousa, durante algum tempo, nessa função. A mudança para uma função auxiliar ocorre quando a pessoa sente que o atual modo de viver tornou-se insípido, quando a pessoa se sente constantemente insatisfeita consigo mesma e com suas atividades [...]. O melhor modo de saber como mudar consiste simplesmente em dizer: "Muito bem, isso não tem mais nenhuma graça, não significa mais nada para mim. Há, em meu passado, alguma

---

[7] Ver "General Aspects of Dream Psychology" e "On the Nature of Dreams", *The Structure and Dynamics of the Psyche*, CW 8.

> atividade que eu ainda poderia apreciar? Uma atividade que me trouxesse de novo alguma emoção?". Então, se a pessoa realmente recuperar essa atividade, perceberá que mudou para outra função.[8]

– e, até certo ponto, assimilou um aspecto da sombra.

Constata-se, assim, que, ao lado das implicações clínicas do modelo tipológico de Jung, sua maior importância continua sendo a perspectiva que ele oferece ao indivíduo apenas no que diz respeito à sua própria personalidade.

A aplicação do modelo junguiano, de um modo pessoalmente significativo, requer o mesmo tipo de reflexão dedicada que se utiliza ao lidarmos com a sombra ou com algum dos outros complexos de uma pessoa. Em outras palavras, implica uma observação acurada, durante um longo período de tempo, do caminho para o qual a energia de uma pessoa tende a se dirigir, das motivações que residem por trás do seu comportamento e dos problemas oriundos dos relacionamentos com outras pessoas.

A tecnologia atual nos tem fornecido alguns instrumentos úteis, maneiras rápidas e fáceis de executar aquilo que, de outro modo, tornar-se-ia uma tarefa onerosa ou demorada. O processo de autoconhecimento, no entanto, não tem atalhos. Ele permanece obstinadamente associado ao esforço individual, que o torna cada vez mais fecundo.

---

[8] *Lectures on Jung's Typology* (Zurique: Spring Publications, 1971), p. 60.

Apêndice 1

A SIGNIFICAÇÃO CLÍNICA DA EXTROVERSÃO E DA INTROVERSÃO

H. K. FIERZ, M. D.[1]

Extroversão e introversão são atitudes típicas, relativas ao temperamento. O principal interesse do extrovertido reside no objeto, ao passo que o do introvertido reside no sujeito.

---

[1] H. K. Fierz foi diretor-médico da Zurich Clinic and Research Center for Jungian Psychology (*Klinik am Zurichberg*) por mais de vinte anos, até sua morte em 1985. Foi também professor psicanalista no C. G. Jung Institute, em Zurique.

Este artigo foi publicado originalmente em alemão, no *Acte psychotherapeutica*, em 1959. A primeira tradução para o inglês apareceu no *Current Trends in Analytical Psychology* (Ata do 1º Congresso Internacional de Psicologia Analítica, 1958), ed. Gerhard Adler (Londres: Tavistock Press, 1961).

Se queremos estudar as possíveis consequências médicas dessas duas atitudes básicas, devemos primeiro entender o momento em que o sujeito e o objeto surgem.

O sujeito e o objeto sempre aparecem quando os relacionamentos, que até então tinham sido governados por uma *participation mystique*, são submetidos à crítica, seja do próprio sujeito ou de alguma outra pessoa.[2] Esse evento pode, por exemplo, afetar toda a personalidade de uma criança muito pequena ou de pessoas indiferenciadas, por demais inconscientes. Contudo, mesmo em adultos diferenciados podemos encontrar áreas inconscientes, com necessidade de desenvolvimento. Essa situação dá margem a conflitos que podem motivar a crítica e conduzir, portanto, à dissolução de uma *participation mystique*.

Por conflito, entendemos que duas pessoas, num dado relacionamento, descobrem que não estão em total harmonia. O indivíduo que sofre essa perturbação da harmonia é o sujeito; o parceiro de conflito, com quem ele se sente em desarmonia, é o seu objeto.

Podemos observar como essa perturbação se manifesta no indivíduo: cria-se um afeto, que acarreta um problema de animus-anima.

---

[2] [O termo *participation mystique*, criado pelo antropólogo Lucien Lévy-Bruhl e usado com frequência por Jung, designa uma conexão inconsciente primitiva, pela qual uma pessoa não consegue se diferenciar claramente dos outros. É isso que está por trás do fenômeno natural da projeção, pelo qual o indivíduo vê, em alguma outra pessoa, características que, na verdade, são dele próprio. Ver Jung, "Definitions", *Psychological Types*, CW 6, par. 781. D. S.]

Há também um distúrbio de adaptação ao ambiente agora objetivado, o que gera outros efeitos, constelando o problema da sombra.

Um exemplo clássico pode ser encontrado em crianças muito novas: elas descobrem que os pais nem sempre são tão perfeitos como esperavam. O afeto decorrente é a raiva dos pais; a rudeza subsequente conduz a um problema de adaptação. A partir de então, a criança está disposta a dúvidas tais como: "Quem sou eu?" ou "Quem são meus pais?". Ou ainda: "O que significa este eu?", "O que significa *pai*, *mãe*?". Desse modo, nascem o sujeito e o objeto. Esta situação logo constela os arquétipos paternos, o que demonstra a considerável energia do afeto.

O mesmo problema surge em todos os indivíduos quando uma *participation mystique* é dissolvida. Embora o problema seja geral, o modo de trabalhá-lo varia conforme seu interesse principal se dirija para o sujeito ou para o objeto. A maneira individual pela qual o problema é resolvido indica a atitude básica.

O introvertido se interessa, principalmente, pelo sujeito; assim sendo, ele se torna ciente dos fatores perturbadores inerentes ao sujeito. Nesse momento, surge o afeto. O introvertido tem uma tendência a abalar seu afeto, e dedica-se a essa tarefa com entusiasmo, buscando uma orientação nova e tranquilizadora. Sua dificuldade em se adaptar externamente ao objeto é menos – ou nada – importante para ele. Por essa razão, o introvertido frequentemente parece uma pessoa negativa, "sombria", estranha, excêntrica, arrogante ou mesmo maliciosa.

Essa dificuldade não será tratada por uma compreensão ou percepção mais ampla, mas pela evasão. O introvertido pode, assim, reduzir sistematicamente seu círculo de amizades, selecionando as mais "inofensivas". Não obstante, muitas vezes ele se ergue contra a realidade do mundo exterior. A "malícia do objeto" pode ser o seu obstáculo: ele sempre terá "má sorte". Mesmo um introvertido jovem pode quebrar a perna numa escadaria. Ele não poderia prestar atenção aos degraus, pois precisava expressar sua raiva diante da horrível cor vermelha da passadeira (embora pretenda dizer, depois: "Não prestei atenção à cor", ou talvez, "Não gosto deste vermelho porque ele não me agrada").

Naturalmente, revelar seu afeto lhe faz bem. A emoção diminui, deixando-o, portanto, protegido contra os distúrbios metabólicos, por exemplo. É muito provável que mesmo assim ele precise do cirurgião, mas agora para intervenções menores ou apenas razoavelmente sérias.

Nesse estágio do desenvolvimento, poderia parecer que o espírito está satisfeito, mas que o instinto foi negligenciado. Mentalmente "superior", mas alienado do seu ambiente, o introvertido vive em perpétua colisão com o mundo, embora geralmente não ponha a vida em perigo. No entanto, a fim de continuar tranquilo e afastado do mundo, é possível que o introvertido passe a respirar de um modo inadequado e inibido, tornando-se assim relativamente suscetível à tuberculose pulmonar.

O extrovertido se interessa principalmente pelo objeto. Ele gosta de organizar seus relacionamentos objetivos. Dedica-se a eles e pode ter tudo, menos uma aparência "sombria". Ele não toma conhecimento do fato de que alguma coisa está acontecendo no seu interior, de que alguma coisa foi acionada. Apesar da bem-sucedida adaptação do extrovertido ao objeto, esse descuido torna-se evidente de tempos em tempos, quando o afeto subestimado manifesta-se por meio de eventuais mudanças de comportamento que, em breve, assumem a forma da animosidade.

O afeto não realizado também pode influenciar o metabolismo: problemas de fígado são típicos e até mesmo o coração pode ser afetado. Nesse estágio do desenvolvimento, é mais provável que ele necessite apenas de um médico e não de um cirurgião. De modo geral, não há risco de vida quando o extrovertido segue seu instinto e negligencia o lado espiritual.

Todavia, ao primeiro estágio do desenvolvimento segue-se um outro. No caso do introvertido, a deficiência quanto à adaptação externa aumenta. Apesar de todas as tentativas de "fugir para dentro" e a despeito de seu esforço para restringir o número de objetos, selecionando-os, ele pode entrar de tal modo em choque com o mundo que a realidade do objeto se impõe sobre ele. A partir de então, o afeto já não poderá ser apaziguado: ele se manifesta claramente, e o introvertido demonstra sua animosidade de um modo em geral muito mais áspero do que o extrovertido inofensivo.

O extrovertido, por outro lado, chega a um ponto em que seu afeto exige uma satisfação. O afeto irrompe com violência, a adaptação ao mundo exterior é abalada e um lado negro da sombra torna-se visível. O extrovertido está diante da questão do sujeito, da realidade de sua própria pessoa.

Em tal situação, o introvertido deve tornar-se mais extrovertido e dirigir seus interesses para o objeto, e o extrovertido deve tornar-se mais introvertido e voltar-se na direção de sua própria e modesta pessoa, o sujeito. Quando essa tarefa de reversão das atitudes não for aceita, seguir-se-ão os desenvolvimentos clínicos.

Surge então uma tentativa obstinada e unilateral no sentido de manter-se fiel ao tipo de atitude original. Mas esta é, agora, obsoleta; perdeu energia para a atitude oposta, e o esforço violento resulta num *abaissement du niveau mental*.[3] A atitude originalmente superior já não funciona com segurança e tornou-se inferior. A desintegração do antigo sistema tem suas consequências físicas.

O introvertido fica sujeito a súbitas e perigosas infecções. O afeto excessivo pode perturbar seu metabolismo de forma muito séria, a ponto de provocar um estado clínico altamente perigoso, até mesmo fatal. A origem do perigo está em seu interior: o introvertido precisa de um médico, pois sua vida pode correr perigo.

Para o extrovertido também existirá um sério risco, caso ele tente manter sua atitude dominante, unilateral e obsoleta. Não há

---

[3] [*Abaissement du niveau mental*, fenômeno descrito pelo médico francês Pierre Janet e adotado por Jung, indica uma redução do nível de consciência, tal como ocorre na depressão, no sono e através do uso de álcool e de outras drogas. No presente contexto, refere-se a uma situação psicológica na qual a atitude dominante da consciência foi, por assim dizer, deposta. Ver pp. 32-3, D. S.]

mais solidez em sua adaptação à realidade exterior. A partir de então, ele pode sofrer acidentes e precisar de um cirurgião. A intervenção cirúrgica necessária será muito séria, pois os acidentes que atingem o "extrovertido não compensado" costumam ser graves (acidentes de carro ou decorrentes da prática do alpinismo).

Contudo, nem sempre o cirurgião poderá ajudar, pois o problema, muitas vezes, invade o âmbito jurídico. A cegueira quanto ao lado subjetivo e à sombra escura frequentemente leva-o à falência, à fraude e a outros delitos. Assim, o extrovertido pode pôr a vida em perigo através de um acidente ou de uma contravenção estúpida [...] não é preciso uma pena capital para destruir uma vida: a prisão ou Borstal[4] podem fazê-lo com a mesma eficiência.

Esse estágio do desenvolvimento é crítico. O introvertido pode evadir-se da crise pelo suicídio. Isso ocorre sob a pressão de um súbito afeto, de um pânico pelo poder do afeto odiado que destrói sua tranquilidade subjetiva. O extrovertido também pode fugir do problema pelo suicídio. Ele planeja seu suicídio com a deliberação da sombra escura e, desse modo, pode eximir-se de lidar com a perda do objeto amado – da segurança.

Nessa crise, o introvertido desenvolve todos os sintomas do extrovertido, mas num nível muito mais ameaçador. Precisamente porque não aceitará o seu lado extrovertido, este se manifesta como um automatismo, na forma arcaica, e com mais

---

[4] [Borstal é o nome usado, na Inglaterra, para "instituto correcional" ou "escola disciplinar", um local de moderada segurança, destinado ao confinamento de jovens em conflito com a lei. D. S.]

problemas difíceis de tratar. Contudo, esses distúrbios perigosos podem, hoje em dia, ser tratados com muito mais sucesso do que há vinte anos. As infecções perigosas reagem ao tratamento por antibióticos. Distúrbios outrora fatais ao metabolismo não resistem ao Serpasil ou ao Largactil.

Há, porém, um perigo de morte mental quando o afeto excessivo perturba o metabolismo a tal ponto que provoca a deterioração mental; há também um perigo de morte física quando a força do afeto destrói a resistência à infecção. Mais uma vez, a origem do perigo está no interior do indivíduo.

O extrovertido, na sua crise, desenvolve de forma exagerada os sintomas do introvertido, à medida que sua introversão não realizada assume uma forma perigosamente arcaica. Se o extrovertido entra em choque com o mundo por meio de um acidente que o deixa gravemente ferido, os progressos técnicos da cirurgia moderna, particularmente o grande desenvolvimento da técnica de anestésicos, podem ajudar muito: a reabilitação pela cirurgia ortopédica pode recuperar para a vida ativa muitas pessoas que de outro modo ficariam permanentemente mutiladas.

Quando a sombra leva o extrovertido a entrar em conflito com o mundo, acarretando consequências jurídicas, não devemos esquecer que a pena capital está, cada vez mais, caindo em desuso e que o uso da sentença penal para fins educativos e não destrutivos está se tornando comum. Entretanto, o perigo de vida, vindo do exterior, ainda existe, por meio de um acidente ou de uma penalidade. O acidente pode matar a vida espiritual, ou ela pode ser destruída pela aniquilação social.

Há também as manifestações formais da inferioridade da extroversão do introvertido, por exemplo, na percepção. Ele pode intuir, fascinado pelo mundo exterior, mas sua intuição é deficiente. Desse modo, ele não apreende as possibilidades tal como se apresentam a uma intuição diferenciada, mas apenas as "possibilidades impossíveis". Ele está, portanto, a um passo da paranoia. Se a percepção ocorre por meio da sensação, o mundo exterior não é interpretado de um modo organizado, mas antes de um modo desordenado. Também nesse caso seu estado é frequentemente patológico.

A introversão inferior do extrovertido manifesta-se pelo fato de que, embora ele seja obrigado a levar o sujeito em consideração, e a refletir sobre ele, isso muitas vezes se transforma num estado impotente de ansiedade, devido, em grande parte, à falta de discriminação. Refletindo sobre si próprio, o extrovertido toma a *pars pro toto*[5] e despreza-se totalmente em virtude de um único defeito. Um sentimento de culpa e de pecado, equivalente à mania, pode então se manifestar. Além disso, muito embora perfeitamente consciente da autonomia do desenvolvimento pessoal, ele o considera uma catástrofe. O quadro é de depressão

---

[5] [= a parte pelo todo. Refere-se, aqui, ao que Jung chamou de inflação negativa, quando uma pessoa se identifica com suas piores características. Ver *Aion*, CW 9 ii, par. 114, e "The Psychology of the Child Archetype", *The Archetypes and the Collective Unconscious*, CW 9i, par. 304. D. S.]

total. Às vezes, a fascinação do sujeito volta a ser substituída pela extroversão original, mas esta, agora, tornou-se inferior e manifesta-se como mania.

Portanto, fica evidente que a atitude inferior no introvertido tende ao desenvolvimento de estados esquizofrênicos, ao passo que, no extrovertido, pode provocar estados maníaco-depressivos.

Se os sintomas psicóticos são visíveis, então a constelação da atitude inferior torna-se particularmente impressionante. Basta ouvir o que eles dizem. Quando um introvertido dirige sua atenção para o exterior, ele pode manifestar reações paranoicas. Seu fascínio mórbido pelo objeto evidencia-se em reflexões do tipo: "Ele fez isso, ele pode, ele não deve, ele deveria, ele deseja". Assim, a inferioridade da extroversão é projetada sobre o objeto: o outro lado é, por conseguinte, mau, estúpido ou desprezível. No caso do extrovertido, que deve introverter, torna-se deprimido, encontramos seus pensamentos girando, interminavelmente, em torno do sujeito. Ele diz: "Eu fiz isso, eu deveria, eu sou". E a inferioridade da introversão é imposta ao sujeito. Por isso, o paciente depressivo considera-se culpado, inútil, desprezível e estéril.

A experiência psiquiátrica também fornece um útil esclarecimento acerca dos tipos. É de conhecimento geral que, em casos de esquizofrenia, o psiquiatra concede alta da clínica o mais cedo possível, a denominada "dispensa antecipada", ao passo que nos casos de maníacos-depressivos, recomenda-se um retardamento da alta. Relacionando esse fato com o problema da atitude inferior, poderíamos dizer: o esquizofrênico, que é originalmente introvertido e está revelando uma extroversão inferior em sua doença, deve ser enviado para o mundo, a fim de exercitar sua extroversão. Mas o maníaco-depressivo de índole extrovertida deve demorar-se na clínica tempo suficiente para ter uma oportunidade de praticar sua introversão ainda não desenvolvida.

Por mais nítidos que sejam os problemas revelados pelo caso psicopatológico, ele não deixa de ser, sem dúvida, anormal. Nos casos normais, o problema da atitude inferior constela-se durante a segunda metade da vida. Contudo, em casos patológicos, ele costuma aparecer muito mais cedo. Talvez a família ou as influências do meio tenham provocado uma distorção prematura do caráter original.

Pode acontecer que um extrovertido ingênito tenha sido obrigado a adotar uma atitude introvertida, totalmente contrária à sua natureza, e que a tendência oposta de desenvolvimento se esforce por restaurar a atitude autêntica tão logo seja possível. Esse conflito entre uma extroversão saudável, embora não desenvolvida, e uma consciência introvertida distorcida, essencialmente estranha, pode levar a uma situação muito complexa e até mesmo patológica. Um introvertido pode ser submetido a uma distorção correspondente. Os detalhes desse problema ainda não foram suficientemente estudados. Acredito, porém, que a distorção da atitude ingênita pelos fatores ambientais é uma das principais origens dos sintomas psicóticos e da chamada configuração psicopática.

Naturalmente, seria ideal se o desenvolvimento normal da tendência oposta ocorresse sem distúrbios. Mas, na medicina, e particularmente na psicologia, raramente observamos tais casos, pois um desenvolvimento normal deixa pouco a ser observado. Quando há perturbações, é claro que cada nuança e variedade torna-se evidente.

Poder-se-ia acrescentar alguns detalhes adicionais: o introvertido, que tem de desenvolver sua extroversão, está relativamente sujeito a úlceras pépticas. Nos extrovertidos, que devem se introverter, há, segundo meu conhecimento, um perigo de arteriosclerose prematura. É de conhecimento geral que os que sofrem de úlcera gástrica podem obter um alívio dos sintomas a partir da psicoterapia. Contudo, poucos sabem que mesmo os estados arterioscleróticos relativamente graves podem obter uma melhora considerável com o uso de uma psicoterapia adequada, apesar dos prognósticos psiquiátricos derrotistas encontrados em qualquer compêndio. De modo que, no caso de um extrovertido que precisa sair pouco a pouco de sua introversão e tornou-se depressivo, não se deveria permitir que os sintomas arterioscleróticos influenciassem tão seriamente o prognóstico, e a psicoterapia não deveria, de modo algum, ser omitida.

Permitam-me resumir os efeitos dos dois tipos básicos de atitude a partir do aspecto clínico.

O introvertido ocupa-se principalmente com seu afeto e entra em conflito com o mundo. Ele está sujeito a acidentes leves ou razoavelmente sérios. O extrovertido adapta-se ao mundo e negligencia o afeto. Para ele, o perigo está no coração e no sistema metabólico. Portanto, mais cedo ou mais tarde, os dois tipos de atitude acabarão se deparando com o mesmo problema: desenvolver, em seu interior, a atitude oposta inferior.

Se esse desenvolvimento for inadequado, poderão sobrevir distúrbios graves, até mesmo fatais. O introvertido pode ser atacado por infecções ou por distúrbios fatais do metabolismo. O extrovertido está sujeito a acidentes perigosos e a problemas com a lei. Além disso, o introvertido está sujeito a úlceras pépticas e o extrovertido à arteriosclerose. O interesse desenfreado do introvertido pelo mundo exterior pode conduzir a sintomas paranoicos, enquanto o interesse do extrovertido pelo mundo interior pode provocar uma manifestação de sua introversão inferior sob a forma de melancolia.

Quanto aos aspectos psiquiátricos, devemos também salientar que o relacionamento espontâneo, original e primário permanece evidente mesmo na crise (assim como nos tipos ingênitos tão habilmente descritos por Kretschmer). Quando o esquizofrênico astênico volta-se para o exterior de um modo alucinatório, sua inclinação espontânea dirige-se para o sujeito e sua relação afetiva com o mundo exterior é, consequentemente, pobre. E quando o melancólico pícnico dirige sua atenção para o interior, ele ainda continua, de modo espontâneo, voltado para o objeto e sua relação afetiva é boa.[6]

---

[6] [Pícnico designa uma estatura baixa, atarracada (endomórfica); astênico refere-se a uma compleição delicada, com poucos músculos. D. S.]

É impressionante observar como – apesar da resistência estabelecida pela consciência vigente – a psicose ajuda o desencadeamento da atitude inferior. O esquizofrênico introvertido entra em contato com o mundo exterior por meio de explosões agressivas. E o melancólico extrovertido retrai-se do mundo a fim de desenvolver a ideia de que ninguém pode compreendê-lo, ninguém deseja compreendê-lo e ninguém pode ajudá-lo, desse modo, ele se volta para si mesmo.

Devemos agora perguntar: que tratamento se deve esperar de uma moderna compreensão dos problemas ligados a esses dois tipos de atitude. De modo geral, compreende-se que as complicações internas, cirúrgicas e psiquiátricas manifestadas durante o desenvolvimento devem ser tratadas de acordo com as regras gerais da teoria e da prática da medicina. Contudo, também é importante na diagnose considerar o paciente como um ser humano que tem de conquistar, por meio de sua crise, uma aceitação de seu outro lado inferior.

Essa situação crítica dá origem a perigos especiais que exigem um cuidado particular e rigorosa atenção. Se, por exemplo, a estabilidade interior do introvertido sucumbir, todo o seu sistema poderá, com inesperada rapidez, ser invadido pela infecção. Devem-se ministrar antibióticos no momento certo, ou poderá ser tarde demais. Portanto, em casos duvidosos, é necessário uma contagem regular de leucócitos – registros da pulsação e da temperatura não bastam. Se a contagem exceder 10.000, a terapia de antibióticos deve ter início imediato. Se, por outro lado, a adaptação exterior do extrovertido sucumbir, é preciso tomar precauções contra o crescente risco de acidentes. O alpinismo, por exemplo, deve ser proibido e, talvez, até mesmo dirigir um carro.

Contudo, à parte esses cuidados médicos especiais, faz-se também necessária uma compreensão do significado psicológico da sintomatologia, quer os sintomas sejam físicos ou psicológicos. A doença é sintomática de algo aberrante e inferior. Nessa aberração e inferioridade, devemos reconhecer a luta de um ser humano que tenta resolver os problemas de sua atitude oposta. Nesse sentido, portanto, os sintomas clínicos devem ser interpretados de modo positivo, ou seja, não como aberrações doentias, mas como um caminho para a totalidade.

Apêndice 2

UM BANQUETE COM OS TIPOS

[A sinopse abaixo, livremente adaptada do original, ilustra, numa linguagem simples, como o modelo de tipologia de Jung poderia ser observado no dia a dia.][1]

O TIPO EXTROVERTIDO SENTIMENTAL

Nossa anfitriã é um tipo sentimental. Quem mais teria a preocupação de juntar esse grupo? Até mesmo os

---

[1] [Originalmente publicado em alemão, com o título *Das Diner der Psychologischen Typen* (O Banquete dos Tipos Psicológicos), em Sammlung Dalp, *Handschriften-deutung* (A Interpretação do Manuscrito) (Berna: Franke Verlage, 1952). Agradecimentos a Magdalena Zillinger por sua tradução e a Vicki Cowan pela adaptação. D.S.]

convites – elegantemente escritos à mão, em lindos cartões – expressam sua alegria em receber esses queridos amigos.

É uma mulher encantadora, afetuosa e voluptuosa como um quadro de Renoir; uma maravilhosa dona de casa, de mente aberta, amável e que gosta de conversar. É muito atraente e hospitaleira; oferece ótimos pratos, lindamente preparados e apresentados. Sua casa demonstra um extremo bom gosto.

Uma vez que ela tende a repetir as opiniões de seu marido e de seu pai, sua conversa não é particularmente emocionante. Algumas vezes, seus pontos de vista são aqueles dos líderes religiosos ou de outras eminentes personalidades de sua comunidade. Em todas as situações, ela os expressa com a maior convicção, como se tais ideias lhe pertencessem. Ela não percebe que sua única contribuição real para essa noite – além do jantar – é o tom emotivo que empresta às suas palavras.

Ela casou-se com um *connaisseur* – um esteta – que preza, sobretudo, uma vida discretamente luxuosa.

O TIPO INTROVERTIDO SENSITIVO

Nosso anfitrião é um estudioso e colecionador de arte. Mas o pensamento é, para ele, uma função inferior. Embora colecione livros e possua um acervo significativo, ele não pesquisa profundamente o assunto.

É alto, moreno e magro. Ao contrário da tagarelice da esposa, mantém-se calado. Parece ter se protegido por trás da tagarelice da mulher. Ele não consegue compreender sua dedicação a esses convidados, que o obrigaram a abandonar seu belo e tranquilo gabinete. No entanto, já havia sido combinado que ela organizaria a vida social de ambos, e ele sabe, por longa experiência, que ela é mestra na arte de receber. É ela quem proporciona a extroversão necessária ao seu casamento e estabelece a ligação de ambos com o mundo exterior.

Ele cumprimenta seus convidados de maneira elegante, um tanto discreta, e estende a mão delgada para uma advogada de renome que acaba de chegar. Na verdade, ele despreza essa mulher, um tipo extrovertido reflexivo. Ao cumprimentá-la, ele, por engano, diz "Até logo". A anfitriã, que percebe horrorizada essa gafe, tenta repará-la com uma dupla dose de amabilidade.

O TIPO EXTROVERTIDO REFLEXIVO

A advogada é o primeiro convidado a chegar. Muito preocupada com sua posição social, ela jamais se perdoaria se chegasse atrasada.

Tendo sido recentemente diplomada com louvor, está no início de uma promissora carreira como advogada de defesa, e já conquistou certo *status* como oradora. Seu raciocínio é acurado e sua lógica, incontestável. Seus argumentos baseiam-se em fatos comprovados, concretos, e ela é hostil a ideias especulativas. Assim como a maioria dos tipos reflexivos extrovertidos, ela é cautelosa e confere grande importância aos dados objetivos. Visto que sua função auxiliar é a sensação, também é muito prática e organizada, tanto na vida pessoal como na profissional.

Quanto aos seus verdadeiros sentimentos, quase nada sabemos. Dizem que, possivelmente, se casará com o filho do patrão.

O TIPO EXTROVERTIDO SENSITIVO

Chegam dois novos convidados: um industrial e sua esposa. Ele é um tipo sensitivo extrovertido, com o pensamento como função auxiliar. A esposa é um tipo sentimental introvertido, cuja função auxiliar é a intuição. Esse casal ilustra o fato de que indivíduos com funções dominantes opostas frequentemente se atraem e se complementam.[2]

O industrial demonstra bom senso, uma ética de trabalho positiva, e uma natureza prática empreendedora. Sabe como se portar em qualquer situação. Executivo inteligente e competente, ele dirige uma verdadeira multidão de funcionários e ainda encontra tempo para supervisionar cada detalhe. É realmente espantoso observar o que ele faz, profissional e socialmente, no curso de um só dia.

Contudo, às vezes, ele carece de uma visão mais ampla. Vive o presente com tamanha intensidade que não pode prever as consequências de suas ações. Em virtude de a sua intuição

---

[2] [Neste caso, a função dominante do homem é, de fato, oposta à função secundária da mulher. Ver nota da p. 114. D. S.]

permanecer pouco desenvolvida, ele só compreende o que já ocorreu e não pode prever possíveis riscos futuros.

Veste-se bem, mas falta-lhe requinte; é espalhafatoso e desajeitado. Parece generoso mas também é opressivo. Durante o jantar, é guloso.

Nenhum de seus conhecidos compreende o que o mantém junto da esposa. Nem ele, que sabe apenas que, no momento em que a encontrou, ficou fascinado e não poderia viver sem ela.

O TIPO INTROVERTIDO SENTIMENTAL

Essa mulher, a esposa do industrial, é quieta e insondável. Seus olhos possuem uma profundidade misteriosa. A poderosa influência que essa jovem exerce sobre o marido constitui um inesgotável tema de conversa para a anfitriã, que adora analisar os relacionamentos dos outros.

Pequena e frágil, essa mulher aparentemente nada faz para provocar a espantosa dependência desse homem sério e insensível. Contudo, ele a segue com o olhar, aonde quer que ela vá, e tenta atrair sua atenção. Ele pede constantemente sua opinião.

A explicação para isso está na natureza complementar desses tipos opostos. Para esse homem, a esposa é o ser que detém aquela profundidade introvertida, à qual ele não tem acesso em seu próprio íntimo. Por essa razão, ela personifica a imagem que ele tem da mulher ideal – a sua anima.

Os tipos introvertidos sentimentais geralmente não demonstram suas emoções, mas, quando o fazem, é com grande intensidade. Esses indivíduos acumulam uma imensa quantidade de afeto interior e essa intensidade comprimida empresta-lhes uma aura especial, frequentemente interpretada como uma força misteriosa e inviolada.

Tais tipos, em geral, possuem talento artístico. Essa jovem tem uma verdadeira paixão em sua vida – a música. Para ela, a música expressa, de um modo puro e ininterrupto, o mundo dos seus sentimentos. Na música, ela encontra a perfeita harmonia, não contaminada pela realidade mundana, tão dissonante aos seus ouvidos.

Sem o marido, no entanto, ela teria muito pouco contato com o mundo exterior. Ele personifica a imagem interior do homem ideal – o seu animus.

O TIPO INTROVERTIDO REFLEXIVO

Entrementes, chegou um novo convidado: um professor de medicina, especializado em doença do sono. Ele é conhecido por suas palestras maçantes, bem como por suas novas descobertas em seu campo de estudos. Mantém-se distante de seus alunos e detesta compartilhar suas ideias. Tampouco seus pacientes lhe despertam algum interesse e são, para ele, apenas "casos" dos quais ele precisa a fim de prosseguir sua pesquisa.

Sua caligrafia é bem miúda e apresenta um modo peculiar de interligar as letras, legíveis apenas para ele próprio e para seu assistente. Ela dá a impressão de uma tecedura impenetrável. Certa vez, um aluno desesperado disse: "Isto não está escrito, está tricotado".

Jamais se viu o professor com sua esposa (que por acaso é um tipo extrovertido sentimental, seu oposto tipológico). Eles nunca saem juntos, dizem que ela não tem nenhuma instrução e que já foi sua faxineira.

O TIPO EXTROVERTIDO INTUITIVO

O último convidado chega apressado do aeroporto. É um engenheiro, radiante de novas ideias e entusiasmado com suas futuras possibilidades. É provável que não as realize; possivelmente, inspirará os outros a fazê-lo. À mesa, fala com entusiasmo a respeito de seus novos planos de viagem, os quais, na opinião do anfitrião, parecem bastante ousados, e ele engole a comida sem parar de falar sobre esses planos.

Os outros convidados estão visivelmente pouco à vontade com esse jovem carismático. Ele parece não ter relação com o mundo onde vivem, mas ao mesmo tempo suas ideias são intrigantes e atraentes.

O TIPO INTROVERTIDO INTUITIVO

Um dos lugares à mesa está vago – o destinado ao jovem e pobre poeta, que nem compareceu, nem se justificou pela ausência. Ele simplesmente se esqueceu do banquete. É um jovem magro, com um belo rosto oval e olhos grandes e sonhadores.

Esta noite ele está totalmente concentrado no seu trabalho. Estimulado finalmente pelas dores cruciantes da fome, ele foi ao modesto restaurante de costume. Visto que não tem noção de tempo e espaço, chega atrasado. (Antes de sair, levou bem uma meia hora para encontrar os óculos.) A má qualidade da comida não o incomodou. Ele comeu sua refeição com ar distraído, lançando vez por outra um olhar de relance ao jornal, ao lado do prato.

Depois do jantar, fez um longo passeio sob o céu estrelado, percebendo, tarde demais, que havia deixado o casaco no restaurante. Depois de caminhar por algum tempo, sentiu-se de repente inspirado para criar um poema – um soneto repleto de prodígios metafísicos – o que o deixou muito feliz.

De súbito, lembrou-se que fora convidado para o banquete. Mas já era tarde demais. Esse equívoco, ou lapso, refletiu exatamente seus sentimentos não reconhecidos. Embora o introvertido receie as exigências da vida, há também um toque de secreta altivez mesclada à sua timidez.

Ele pensa: "Enviarei meu poema à dona da casa, a coisa mais valiosa que tenho". Mas fará realmente isso, ou apenas cogitará a respeito? E se o fizesse, será que a anfitriã entenderia? Esse pobre poeta, cômico e grotesco em sua falta de visão e em seus constantes infortúnios – esse tolo, que foge dos encantos e conflitos da sociedade – pode ter criado um poema de significação universal.

O GRUPO

A conversa durante o jantar torna-se bastante animada. Discute-se a respeito de tudo: política, teatro, processos judiciais que causaram sensação, livros e filmes. Os dois extrovertidos, a advogada e o industrial se envolvem num acirrado debate.

O professor continua taciturno. As reuniões longas sempre o deixam aborrecido e embaraçado, e ele não aprecia esses ambientes sofisticados. Ao final da refeição, contra sua própria vontade, ele de repente quebra o silêncio. Qual será o seu assunto? Sua paixão – a doença do sono! Mas desde que sua função do sentimento é pouco desenvolvida e infantil, ele não percebe as reações dos outros convidados, nem mesmo sua própria inconveniência.

Os outros convidados reagem de várias formas ao discurso do professor, cada um levado por um motivo próprio. A advogada, como sempre, se interessa por ideias notáveis ou instrutivas; o industrial está mais interessado na opinião do professor a respeito da implementação prática de seu trabalho; o refinado anfitrião sente náuseas ao ouvir a descrição da doença e sua digestão foi perturbada. Contudo, a reação mais intensa é vivenciada pela anfitriã que, a princípio, tentou, sem sucesso, encaminhar o longo monólogo do professor para outra direção. Por fim, incapaz de acompanhar a conversa, ela desistiu. Não consegue entender o assunto e acha-o vagamente repugnante. Sua expressão feliz esmoreceu, suas pálpebras estão pesadas e ela está terrivelmente entediada. Somente no final da reunião, ao mostrar a casa e as crianças à esposa do industrial, é que ela consegue recuperar sua natureza jovial e sua alegre disposição.